Llangernyw, Llanrwst a Chymru

Cyfrol i gofio am R.E. Jones
1908-1992

ⓗ awduron/teulu'r diweddar R.E. Jones

Argraffiad cyntaf: Hydref 2005

Rhif Llyfr Safonol Rhyngwladol:
1-84527-016-9

Llun clawr: Wyn Jones
Cynllun clawr: Sian Parri

Argraffwyd a chyhoeddwyd gan Wasg Carreg Gwalch,
12 Iard yr Orsaf, Llanrwst, Dyffryn Conwy, LL26 0EH.
☎ 01492 642031
🖷 01492 641502
✆ llyfrau@carreg-gwalch.co.uk
Lle ar y we: www.carreg-gwalch.co.uk

Cynnwys

Rhagair

Ar nos Wener, 27ain Medi, 1985 daeth cynulleidfa luosog i Ysgol Dyffryn Conwy, Llanrwst i wrando ar R.E. Jones yn traddodi darlith ar y testun 'O Lan i Lan'. Yn 1986 cyhoeddodd Gwasanaeth Llyfrgell Gwynedd, a drefnodd y ddarlith, gyfrol o'r un enw. Y ddau 'Lan' dan sylw, fel yr esboniodd R.E. yn ei ragair i'r gyfrol wreiddiol, oedd Llangernyw a Llanrwst, a rhwng y ddau le hyn y treuliodd ddeunaw mlynedd cyntaf ei fywyd yn gyfangwbl. Fel y traddodwyd y ddarlith yr oedd dwy adran ar y dechrau'n sôn am ei atgofion am gartref a chapel. I arbed gofod gadawyd y rheini allan o'r fersiwn argraffedig gwreiddiol. Maent wedi adennill eu lle yn y gyfrol hon. Cynhwysir hefyd ddeunydd sy'n darlunio bywyd a gwaith R.E., a'i gariad at Gymru a'r iaith Gymraeg.

Hoffem ddiolch i Wasanaeth Llyfrgell Gwynedd am ofalu bod y testun gwreiddiol yn gweld golau dydd. Diolch i Mr R.J. Evans am ei ysgrif bortread, ac i'r beirdd am eu teyrngedau hwythau.

Hoffem ddiolch i bawb yng Ngwasg Carreg Gwalch am eu gwaith caled, eu gofal a'u hymroddiad, ac yn arbennig i Myrddin ap Dafydd – hebddo, ni fuasai'r gyfrol yma yn bodoli.

Ni fuasai R.E. wedi dymuno cael neb gwell na Myrddin i olygu'r gyfrol.

Teulu R.E. Jones

Portread o R.E. Jones, 1957

'R.E.' – dyna'r enw mwyaf cyfarwydd. A thu ôl i'r enw y mae gŵr o ddoniau anghyffredin iawn, personoliaeth hoffus a charedig a chymeriad tryloyw. Ganed R.E. yn Rhwng-y-ddwyffordd, yn ardal Llangernyw, yn agos i hanner can mlynedd yn ôl. Dyma wlad Syr Henry Jones, Robert Roberts y 'Sgolor Mawr, a'u cefnder, Robert Dewi Williams. Nid yw'n rhy fuan i broffwydo y bydd enw Robert Ellis Jones hefyd ryw ddiwrnod ar restr enwogion Llangernyw.

Nid aeth neb i Ysgol Sir Llanrwst 'â mwy yn ei ben' nag R.E. Yr oedd ei allu i ddysgu ieithoedd yn syfrdanol. Prydyddai yn rhwydd yn y Lladin a lluniai gywyddau Cymraeg yn arddull a thraddodiad y meistri. Aeth i Goleg y Brifysgol, Bangor, gyda mwy nag un ysgoloriaeth fras wrth ei gefn ac ennill yno'n rhwydd radd anrhydedd mewn Cymraeg a Lladin. Ond cofiwch chwi mai y tu allan i gell yr ysgolhaig y gwelid ef amlaf o ddigon – yn golygu cylchgrawn y coleg; yn ysgrifennydd y ddrama Gymraeg ac yn trosi dramâu i gwmni'r coleg; yn llywyddu yn y Cymric; yn hwylio'r eisteddfod yn ei blaen gan ennill ei phrif wobrau llenyddol, ac yn bennaf oll yn llywydd Cyngor y Myfyrwyr (1930-31). Bu hefyd yn llywydd cangen Plaid Cymru yn y coleg.

Cyn pen hir dechreuodd gyfansoddi caneuon ysgeifn ar gyfer 'Hogiau'r Gogledd' – y parti gwreiddiol, cyntaf. Gresyn na byddai wedi cyhoeddi detholiad o'r pentwr caneuon hyn. Ni byddai'r casgliad yn ail i ddim o'i fath yng Nghymru. Cyhoeddwyd llyfrau ysgol o'i waith a rhai llyfrau i blant.

Wedi gadael Bangor daeth yn ôl i Ddyffryn Conwy – 'tua'r lle bu dechre'r daith' – a threuliodd flynyddoedd yn athro ysgol yn Nhal-y-bont a Dolgarrog.

Pwy a rif ei gymwynasau i drigolion y dyffryn yn ystod y cyfnod hwn? Pregethu yn eu capelau ar y Suliau; beirniadu yn eu heisteddfodau, a darlithio yn eu cymdeithasau llenyddol, heblaw cynnal dosbarthiadau W.E.A. a sgrifennu dwsinau o raglenni radio. Codwyd ef yn flaenor gyda'r M.C. yng nghapel Ty'n-y-groes, a phan aeth yn ysgolfeistr i Gwm Penmachno fe'i codwyd yn flaenor yno wedyn yng nghapel Rhyd-y-meirch. Gweithiodd yn galed dros Blaid Cymru yn Nyffryn Conwy, a bu'n ysgrifennydd a llywydd Cangen Llanrwst a'r Cylch, cangen a dyfodd i fod yn un o'r rhai cryfaf yn y gogledd. Yng Nghwm Penmachno, syrthiodd defnyn chwerw iawn i'w gwpan. Yno yn 1953 bu farw Eirian, ei wraig, yn annisgwyl o sydyn. Ond bu'r plant, Beti a Gwyn, yn swcwr ac yn gysur mawr i'w tad yn ei weddwdod. Yn fuan wedyn aeth yn ysgolfeistr i Lanberis, a rhyw bedwar mis yn ôl priododd drachefn. Yn ei gymar newydd, Beryl, cafodd R.E. a'r plant un sy'n hollol wrth eu bodd. Prin bod aelwyd ddedwyddach yn y wlad nag aelwyd Tŷ'r Ysgol, Llanberis.

Sôn am gwmnïwr! Un o'r rhai mwyaf diddan a hwyliog – ac fe sylwasoch y byddai'r sgwrs yn bywiogi toc wedi hanner nos. Yna codi'n sydyn a mynd trwodd i'r stydi i gyrchu llyfr – gwaith R.W.P. neu A.E. Housman neu G.K.C. neu un o'r hen gywyddwyr. 'Gwrando ar hwn. Dyma iti'r peth wedi'i ddeud yn berffaith.' Y mae R.E. yn fardd a llenor wrth reddf a'i ddysg a'i chwaeth bob amser yn ddi-feth. Am nad ymroes i gyfansoddi a dilyn galwedigaeth llenor y mae ein llên o gymaint â hynny'n dlotach. Cawsom ganddo er hynny rai ysgrifau o bwys ar bynciau gwleidyddol a chenedlaethol o dro i dro. A rheswm da paham – aeth Cymru â'i fryd yn gyfangwbl.

Cenhadaeth wleidyddol a Christionogol dros Gymru yw cenhadaeth fawr ei fywyd. Hynny sy'n egluro pam y trowyd egnïon ei natur a galluoedd ei feddwl yn ffrwd gref i fwydo'r tir caled yng ngwleidyddiaeth Cymru. Bu'n is-lywydd Plaid Cymru, ac ef yw ymgeisydd seneddol ei blaid yn Etholaeth Arfon; ac ymgeisydd o ddifrif ydyw. Unig nod ac uchelgais yr ymgeisydd hwn yw amddiffyn Cymru a'i dyrchafu.

Ond y tu ôl i'r ysgolhaig, y llenor, y bardd a'r gwleidydd y mae'r cymeriad tryloyw hwnnw (tryloyw yw'r gair ac fe'i defnyddiais o'r blaen) sy'n hawlio ein parch a'n hedmygedd yn ddieithriad, y bwriad unplyg, y farn onest a'r gydwybod olau sy'n rhoi stamp didwylledd ar ei holl gyflawniadau.

Wedi'r cwbl, am ei gymeriad, yn fwy na dim, yr anwylir R.E.

gan ei edmygwyr. A phwy yw'r cyfaill a lŷn yn ffyddlonach, na brawd? R.E. – mae'n driw i'r bôn!

Portreadau'r Faner, 1957

Achau'r Teulu

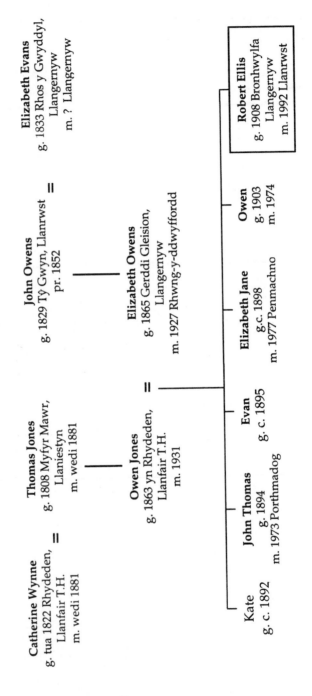

Catherine Wynne
g. tua 1822 Rhydeden,
Llanfair T.H.
m. wedi 1881

Thomas Jones
g. 1808 Myfyr Mawr,
Llaniestyn
m. wedi 1881

John Owens
g. 1829 Tŷ Gwyn, Llanrwst
pr. 1852

Elizabeth Evans
g. 1833 Rhos y Gwyddyl,
Llangernyw
m. ? Llangernyw

Owen Jones
g. 1863 yn Rhydeden,
Llanfair T.H.
m. 1931

Elizabeth Owens
g. 1865 Gerddi Gleision,
Llangernyw
m. 1927 Rhwng-y-ddwyfiordd

Kate
g. c. 1892

John Thomas
g. 1894
m. 1973 Porthmadog

Evan
g. c. 1895

Elizabeth Jane
g.c. 1898
m. 1977 Penmachno

Owen
g. 1903
m. 1974

Robert Ellis
g. 1908 Bronhwylfa
Llangernyw
m. 1992 Llanrwst

12

Llangernyw a Llanrwst

Dyddiau cynnar

Fe'm ganed ar y 27ain o Chwefror, 1908 ym Mronrhwylfa, Llangernyw – yn fab i Owen ac Elisabeth Jones. Enw'r fydwraig a'm derbyniodd i'r byd oedd Betsi Jones, Penisa'r Llan – gwraig anferthol o dew, clamp o ben mawr, a wyneb crwn fel lleuad llawn, ond ei fod o'n goch fflamgoch.

Nid wyf am ddweud mod i wedi sylwi ar y manylion hynny ar y pryd. Ond fe'i gwelais hi ddigon o droeon ar ôl hynny i fod yn siŵr o'm ffeithiau.

Y diwrnod y cefais fy ngeni yr oedd ras droi yn cael ei chynnal yn Llangernyw, h.y. cystadleuaeth aredig, *preimin* fel y bydd pobl rhai ardaloedd yn ei alw. Ynglŷn â'r ras droi, fel yr oedd yr arfer, cynhelid hefyd gystadleuaeth cau a chloddio, a 'Nhad enillodd y wobr gyntaf y diwrnod hwnnw. Fel y clywais yr hanes wedyn, pwy ddaeth i'w gyfarfod pan oedd yn gadael cae'r gystadleuaeth ond Betsi Jones, ac meddai hi wrtho, 'Ma 'na *breis* arall yn d'aros di yn Bronrhwylfa!' Felly y torrwyd y newydd iddo, fod ganddo bellach un genau ychwanegol i'w borthi efo'i gyflog bychan.

A bychan oedd ei gyflog, heb ddim amheuaeth. Gwas ffarm fu ef y rhan fwya' o'i fywyd, a'r dyddiau hynny rhyw ddeg swllt oedd ei gyflog wythnos – a'i fwyd, wrth gwrs.

Yn ystod y Rhyfel Byd Cyntaf fe aeth ei gyflog i fyny, ond prin y darfu erioed ennill mwy na phunt o dâl am lafur wythnos chwe diwrnod.

Prin y gallai teulu fyw yn fras ar arian felly. Yn wir roedd byw o gwbl yn dipyn o ymdrech, yn enwedig os byddai'r teulu'n lluosog. Chwech o blant oedd gan 'Nhad a Mam (dwy ferch a phedwar o hogiau) a fi oedd tin y nyth.

Erbyn i mi gyrraedd – roedd un brawd a dwy chwaer wedi mynd dros y nyth ac yn ymdaro drostynt eu hunain. Yr oedd tri brawd ar ôl gartre – un (Owen), pum mlynedd hŷn na mi, newydd

13

ddechrau yn Ysgol y Llan, a John Thomas, 14 blynedd yn hŷn na mi, ar fin dechrau yn Ysgol Sir, Llanrwst – a finnau.

Pan ddywedaf i mai cartre tlawd oedd ein cartre ni – rwy'n golygu hynny'n ei ystyr fanwl, llythrennol. Doedd yno ddim moeth nag anwes mewn bwyd na dillad.

Pan aeth 'Nhad yn gripil bron, a hynny am gyfnod o fisoedd, efo'r seiatic – bu'n rhaid i'r teulu, yn groes enbyd i'r graen, fynd 'ar y plwy' i gael 5/- yr wythnos o gymorth.

Hwyrach mai dyma'r cyfle priodol i sôn am y math o fwyd a gaem. Roedd 'bara llaeth' ar y *menu* yn rheolaidd. Yn y dyddiau hynny yr oedd pob ffarm yn corddi – a llawnder o laeth enwyn i'w gael o'r herwydd. Fe gâi 'Nhad, fel gweithwyr eraill y ffermydd, dipyn go lew i ddod adre efo fo. Heblaw bara llaeth, yn yr ha' fe gaem datws llaeth a bara llaeth wedi'i grasu. Yr oedd llefrith yn brinnach ond fe ddoi 'Nhad ag ambell biseraid efo fo o'r ffarm lle byddai'n gweithio. Y pryd hynny caem fara llefrith i'w fwyta a llefrith yn ein te. Yn aml ddigon byddem yn yfed ein te heb ddim llefrith. Prydau eraill oedd siot, brwes, tyrci pei, uwd, ponco, lobsgows (troednoeth yn amlach na pheidio). Yn y gwanwyn, pan oedd danadl poethion yn ifainc, byddai Mam yn eu hel a'u malu a'u ffrio yn gymysg ag wy i wneud math o omlet – blasus iawn hefyd.

O adeg y Rhyfel Byd Cyntaf ymlaen, marjarîn oedd yr unig beth i'w roi ar frechdan – a pheth diflas ar y naw oedd o hefyd. Yr adeg honno byddai'r peilliaid o ansawdd mor wael nes byddai'r bara bron yn anfwytadwy. Dim ond ar y Sul y byddem yn cael cig – a dim ond mymryn o hwnnw. Pan alwai 'pobl ddiarth' y croeso arferol oedd 'crempog' os byddai'r defnyddiau ar gael.

Tŷ moel oedd Bronrhwylfa, h.y. tŷ heb dir yn perthyn iddo – bwthyn unllawr, di-addurn – yn cynnwys cegin digon cyfyng o ran maintioli a dwy siambar. Yn sownd wrth yr ail siambar yr oedd stafell arall, a mynediad iddi o'r tu allan. Y tŷ golchi oedd hwnnw, ac yno hefyd yr oedd y popty mawr at grasu bara i'r teulu.

Pan ganiatâi'r tymor a'r tywydd, byddem ni'r plant yn treulio'r rhan fwyaf o'n hamser yn yr awyr agored. Ond ar dywydd gwlyb, ac ar nosweithiau gaeaf, doedd dim lle inni ond yn yr un stafell fyw.

Yno byddai Mam yn darparu bwyd ac yn gwneud ei gorchwylion eraill; yno y byddem i gyd yn cael ein prydau; yno y rhoid croeso i gymydog a alwai heibio ar neges neu am sgwrs; yno y byddai 'Nhad, hwyrnos gaea yn gwneud ambell fasged borthi – ar gyfer bwydo anifeiliaid y ffermydd lle y byddai'n gweithio; yno y byddai fy mrodyr, yn eu tro yn gwneud eu gwaith cartref o'r Cownti Sgŵl; yno y byddent hwy a minnau yn difyrru'n hunain yn ôl ein greddf a'n dychymyg nes doi hi'n amser inni ymneilltuo – yn ddigon anfoddog yn amal – i'r siamber bellaf – i gysgu ar dicin o fanus, a matres wellt o tano mewn hen wely a'i ffrâm wedi'i wneud o bren, a'i waelod o gyrt croes-ymgroes; gwely gyda llaw na welais i erioed un arall o'i fath – ond unwaith. A hynny, ymhen blynyddoedd lawer wedyn, yn y Las Ynys, ger Harlech, cartre Ellis Wynne. Mi gefais rywfaint o wefr y pryd hwnnw o feddwl fy mod wedi bod yn cysgu mewn gwely *yr un fath* â'r un yr oedd un o ben-meistri rhyddiaith Gymraeg wedi cysgu ynddo, o bosib. Gwaetha'r modd ni ddarfu i mi, yn fy ngwely ym Mronrhwylfa, ddim breuddwydio dim byd tebyg i *Weledigaethau'r Bardd Cwsg.*

Yn un talcen i'r tŷ yr oedd pwt o ardd. Byddai 'Nhad yn trin honno ac yn tyfu tatws, pys a ffa ac amryfal lysiau gwyrdd. Roedd cynnyrch yr ardd yn gaffaeliad dirfawr i borthi teulu gwancus.

O flaen y tŷ, rhyndddo â'r ffordd, yr oedd yr hewl – nid hewl yn ystyr de Cymru i'r gair – ond iard neu fuarth. Gorchwyl Now, fy mrawd a minnau bob bore Sadwrn oedd sgubo'r hewl yn lân (i gyfadde'r gwir *fo* oedd yn gwneud y rhan fwya o'r gwaith). Ysgub fedw o waith 'Nhad oedd ein hoffer ni – cystal erfyn at y pwrpas a dim brws cáns a brynwch heddiw am grocbris.

Unwaith yn yr wythnos y byddem ni'n sgubo'r hewl. Ond yr oedd un swydd yr oedd galw *beunyddiol* am ei chyflawni – sef nôl dŵr glân o'r ffynnon. Yr oedd honno mewn pantle llaith o'r neilltu dipyn o bellter o'r tŷ. Mae hi yno o hyd o ran hynny, ond ei bod hi bellach wedi diflannu mewn drysni – a neb byth yn mynd ar ei chyfyl. Mae'n siŵr gen i bod nôl siwrne o ddŵr o'r ffynnon yn ôl ac ymlaen yn golygu cerdded rhywbeth heb fod ymhell o chwarter milltir.

Yn nhalcen arall y tŷ yr oedd clwt o dir, lle'r oedd nifer o ieir yn crafu a phigo'n ddiwyd am eu tamaid – pan nad oeddent yn

15

clwydo yn y cwt digon cyntefig oedd wedi'i ddarparu ar eu cyfer. Safai hwnnw ar gwr 'y coed' – yr oedd gwig o goed preiffion, pinwydd gan mwyaf – yn ymestyn am gryn hanner milltir gydag ymyl y ffordd oedd yn arwain i bentre Llangernyw.

Treuliais beth wmbredd o amser yn chwarae yn y coed hwnnw gyda'm brodyr – chwarae ymguddio, siglo wrth raff ac ati. A phe bai Darwin wedi gweld mor rhwydd ac mor chwim yr oeddem ni'n dringo'r talgoed, buasai'n teimlo'n sicrach nag erioed o berthynas dyn â'r mwnci.

Os ydi nodweddion amgylchfyd dyn yn ifanc yn dylanwadu ar ei natur o wedi iddo dyfu i fyny, ddylwn i ddim bod yn ddyn *cul*. Oblegid o'r hen gartre yr oedd yna ehangder o wlad i'w weld bron i bob cyfeiriad. O garreg y drws gallech weld erwau Mynydd Hiraethog yn ymledu a Bryn Trillyn – y Plas Pren fel y byddem yn ei alw – ar y gorwel. Yn yr hafnau rhyngom â'r gorwel yr oedd nifer o bentrefi'n llechu – er na welem ni 'run ohonynt – Pandy Tudur, Gwytherin, Llansannan a Llangernyw. Os cerddech chi filltir neu ddwy i fyny'r ffordd ar ddiwrnod clir, ac edrych i'r gorllewin, fe welwch gopaon Eryri yn y pellter. Pan fyddai'r gwynt o'r cyfeiriad iawn gellid clowed chwibaniad y trên wrth iddo bwffian ei ffordd i fyny Dyffryn Conwy o Gyffordd Llandudno, trwy Lanrwst i Flaenau Ffestiniog, ac yn ôl.

Ehangder o wlad, fel y dwedais, a honno'n wlad amaethyddol – bryndir tonnog amryliw, o ffermydd a thyddynnod, ac ambell glwt o goedwig yma ac acw. Roedd amrywiaeth mawr o goed yn tyfu o'n cwmpas – derw ac ynn a masarn a chelyn a bedw a helyg ac ysgaw – ac yn arbennig o doreithiog (dyna'r argraff sy gen i): criafol. Rwyf wedi meddwl lawer gwaith mai enw eithaf priodol ar y fro fydd 'gwlad y criafol'.

Mi hoffwn aros efo enwau rhai o'r ffermydd a'r tyddynnod yng nghylch Llangernyw – ond mae'r diffyg gofod yn gwahardd. Ni wnaf ddim ond enwi cartrefi'r cymdogion agosaf i Fronrhwylfa. Gerddi Gleision oedd y lle nesaf i gyfeiriad Llanrwst – dim ond lled cae i ffwrdd. Roedd Taid a Nain yn byw yno pan ges i 'ngeni – ond bu'r ddau farw pan oeddwn i'n fychan iawn. Prin gof sydd gennyf amdanynt, ond roedd f'Ewyrth Wiliam, ac aelodau eraill o'r teulu yn byw yno o hyd ac am flynyddoedd wedyn. Yn uwch i fyny yr oedd Penffordd Deg. Gerddi Gleision a Penffordd Deg –

fedrwch chi ddychmygu enwau mwy hudolus.

Gyferbyn â Bronrhwylfa – yr ochr arall i'r ffordd – yr oedd tir Tyddyn Dolben. Ffarm oedd honno oedd wedi ei henwi ar ôl dyn yn perthyn i hen deulu fu'n amlwg iawn yn hanes Dinbych a'r cylch. David Dolben oedd piau'r tir arbennig yma. Yr oedd yn ficer Llangernyw yn 1621. Rhyw ddeng mlynedd wedyn daeth yn Esgob Bangor.

Y ffarm nesaf atom ar yr ochr arall oedd y Twlc – sy'n anghyfannedd heddiw, gwaetha'r modd, er bod yr adeiladau ar eu traed o hyd.

Yr adeg honno yr oedd teulu o'r enw Ellis yn byw yn y Twlc – dau frawd, John ac Owen, a chwaer. Teulu oedd y rhain a'u gwreiddiau yn ardal Dolwyddelan – yn perthyn i'r Parchedig Cadwaladr Owen. Nid wyf yn cofio Miss Ellis y Twlc, bu hi farw pan oeddwn i'n bur fychan, ond yr oeddwn yn dipyn o lawiau efo'r ddau frawd – dau hen lanc, gyda llaw – yn enwedig efo'r hynaf, John Ellis, hen frawd duwiolfrydig rhadlon, amyneddgar. Roedd y llall, Owen Cadwaladr Ellis, yn tueddu weithiau i fod yn bifis a byr ei dymer.

Efallai dyma'r bwlch gorau imi adrodd am dro trwstan a ddigwyddodd i Mam ym Mronrhwylfa – cyn fy ngeni i. Pan fyddwn i'n crefu am stori-cyn-cysgu gan Mam, nid adrodd stori tylwyth teg na dim felly a wnâi hi, ond dweud rhyw hanesyn am rywbeth oedd wedi digwydd iddi hi ei hun yn blentyn, neu i'm brodyr a'm chwiorydd hŷn. Byddwn wrth fy modd yn gwrando ar y straeon hyn, ac yn dyheu am eu clywed drachefn a thrachefn. A'r ffefryn o'r storïau i gyd oedd hon:

Yr oedd Miss Ellis, y Twlc, yn wraig garedig iawn ei natur ac ar ei thro byddai'n galw heibio i Mam, a bron yn ddieithriad yn dod â rhywbeth yn ei llaw.

Oherwydd hynny, ac oherwydd bod Miss Ellis yn dipyn o 'Ledi' yn ei ffordd, byddai Mam yn trio'i gorau ofalu bod y tŷ mewn trefn go ddestlus pan fyddai Miss Ellis yn galw.

Un diwrnod, ychydig cyn fy ngeni i, yr oedd Mam wedi codi'n fore i bobi. Roedd y toes wedi ei osod yn y badell o flaen y tân yn ôl yr arfer i 'godi'.

Roedd Now fy mrawd, rhyw 4 oed, yn ei wely – wedi ei adael

yno i gysgu cyhyd ag oedd bosib, rhag ei fod o dan draed Mam, yn ei phrysurdeb.

Yr oedd hi wedi anfon Lisi, fy chwaer, rhyw chwarter awr ynghynt, i nôl siwrnai o ddŵr o'r ffynnon. Ar ei ffordd yn ôl efo'r piseraid dŵr, pwy welai Lisi yn dod i fyny'r ffordd i gyfeiriad tŷ ni, ond Miss Ellis.

Gan wybod bod Mam bob amser yn hoffi cael rhybudd o ddyfodiad Miss Ellis, dyma hi'n prysuro, a thrwy'r giât bach ar ruthr.

Rhyw funud neu ddau ynghynt yr oedd Now wedi deffro, ac wedi codi a dod i'r gegin yn ei goban yn droednoeth, goesnoeth, ac ymlaen â fo, yn ddigon naturiol, at y tân lle'r oedd hi'n gynnes.

Dyma Lisi, a'i gwynt yn ei dwrn, yn dod i'r tŷ dan weiddi ar Mam – 'Miss Ellis Twlc, Miss Ellis Twlc' – ac ar yr un pryd, heb edrych yn iawn beth a wnâi, yn estyn y piser dŵr, i'w roi ar y bwrdd. Yn lle ei roi ar y bwrdd, fe'i dododd ar yr ymyl. Hwnnw'n troi drosodd a'r dŵr yn llifeirio ar hyd y llawr. Pan welodd Now y dŵr yn llifo i gyfeiriad ei draed noeth – dyma fo'n rhoi naid i rywle o ffordd y dilyw, a lle y landiodd o – ond ar ei draed yng nghanol y badell does.

A'r foment honno dyma Miss Ellis i mewn!

Mi fyddwn i bob amser yn crefu ar Mam i fynd ymlaen efo'r stori – be' ddigwyddodd wedyn? Ond, fel gwir artist roedd hi bob amser yn tynnu'r llen i lawr yn y fan yna.

Gorchwylion plant

Gan ein bod ni'n byw ynghanol gwlad amaethyddol nid oedd dim rhyfedd ein bod ni'n mynd, ar dro, i weithio ar ffermydd yr ardal, er mwyn ennill ychydig o arian i goffrau'r teulu.

Y prif waith y byddai hogiau cylch fy ngartre i yn ei wneud yn ei dymor, oedd chwynnu (teneuo) maip neu swêds. (Rwdins yw'r gair am swêds yn Sir Fôn.)

Os hoffech chi gael darlun gwirioneddol fyw o'r gwaith yma, ac o'r rhemp a'r rhamant oedd ynglŷn â fo, trowch i lyfr penigamp Dewi Williams, *Dyddiau Mawr Mebyd*. Fe gewch yn y fan honno –

ymhlith llawer o bethau difyr eraill – ddisgrifiad o ddyddiau chwynnu maip na allai neb ond Dewi ei sgrifennu.

Mi fyddai'r chwynwr yn mynd ar ei bedwar (h.y. ar ei ddau ben-glin a'i ddwy law) ac yn cropian ar hyd y rhes o faip (deudwch) i'w teneuo nhw. Ar bob pen-glin gwisgai ddarn o hen sach wedi ei chlymu'n dynn o du ucha ac o dan y pen-glin efo cortyn coch. Yr oedd pwrpas deublyg i hynny: cadw ei drowsus rhag maeddu'n ormodol, a phwysiced fyth, cadw'i pennau gliniau rhag mynd yn gig noeth.

I un yn chwynnu ar ei ben ei hun yr oedd hi'n job ddigalon. Y cae i'w weld fel cyfandir, a phob rhes fel petai hi'n ymestyn i dragwyddoldeb.

Mewn ambell gae llydan, fe allech fod wrthi am dri chwarter awr, neu hyd yn oed awr neu fwy, yn chwynnu *un* rhes, a theimlo ar ddiwedd diwrnod maith o gropian meudwyaidd, nad oeddych wedi gwneud dim o'ch ôl.

Fel yr oedd y gorau, anaml iawn y byddai hynny'n digwydd – dim ond unwaith y cefais i'r profiad. Gan amlaf yn finteioedd o chwech, neu wyth neu fwy weithiau (yn ôl maint y ffarm), yr aem i chwynnu. Dechrau tuag wyth yn y bore a dal ati tan chwech neu hanner awr wedi chwech yn y nos. Cael ein bwyd yn y tŷ ffarm – i frecwast a swper: powliaid o fara llaeth neu frwes neu siot; cinio o gig a thatws. Caem bryd o de a brechdan hefyd ganol bore a chanol pnawn. Ar y cae agored y byddem ni'n bwyta'r rheini – y forwyn yn eu cludo mewn piser a basged.

Roedd na hwyl ynglŷn â'r gwaith – ond yr oedd *lludded* hefyd, yn enwedig i chwynwr ifanc. Mi ddechreuais i chwynnu maip yn chwech oed, ond hyd yn oed am ddwy neu dair blynedd wedyn, ar ôl diwrnod hir yn y pridd a'r awyr agored, prin y medrwn, ar y ffordd adref, ar ôl cadw noswyl, roi'r naill droed heibio'r llall. Llawer gwaith y deffrois i y bore wedyn yn fy ngwely heb unrhyw syniad sut yr euthum yno. Mam (neu rywun) wedi tynnu oddi amdanaf, a'm rhoi dan y dillad, heb imi ddeall o gwbl.

Ond yr oedd modd ichi ennill gymaint â swllt yn y dydd am eich llafur. Ac roedd hi'n werth yr holl ymdrech er mwyn medru mynd ar ddiwedd y tymor i Lanrwst i brynu siwt newydd at y gaeaf yn siop Bradley neu London House.

Mae 'na fil a mwy o bethau y gallwn i eu hadrodd am

brofiadau'r cae swêj, ond mi fyddai gofyn cael llyfryn cyfan i wneud cyfiawnder â'r pwnc.

Nid oes dim i'w wneud ond eich cyfeirio chi eto at lyfr Dewi Williams.

Yr oedd gorchwylion eraill hefyd y gelwid arnom, i'w gwneud ar y ffermydd o dro i dro ac yn ôl y tymor o'r flwyddyn. Hel cerrig, chwalu neu droi gwair adeg y cynhaeaf gwair, codi a rhwymo ŷd yn sgubau adeg cynhaeaf ŷd, helpu ar ben y das wrth gario gwair neu ŷd. Adeg dyrnu yn arbennig fe gaem y swydd o gario manus, neu'n amlach o gario dŵr i ddisychedu'r injian stêm oedd yn troi'r dyrnwr. Mae gen i gof byw bod wrthi un tro yn ffarm Ty'n Ddôl efo bwced mawr ym mhob llaw yn cario dŵr – a rhyw hen glagwydd milain yn fy ngwylio bob tro yr awn i heibio i ymosod arnaf – a minnau a'i ofn arnaf am fy mywyd.

Rhaid gadael yr hen gartref yn y fan yma – er bod llawer o bethau amdano heb eu mynegi. Rwy'n ofni fy mod wedi rhoi bron y cwbl o'm sylw i ochr allanol a materol ein bywyd ni fel teulu. Yr oedd ochr arall – ochr ddiwylliannol. Mi gefais gan fy 'Nhad, ac yn enwedig gan Mam, bob swcwr (o fewn adnoddau'r cartre) i ddarllen ac i ddysgu. Efallai y caf funud neu ddau cyn gorffen hyn o draethiad, i gyfeirio at y wedd yma ar fy nyled i'm cartre. Ar hyn o bryd rhaid troi at gylch arall a ddylanwadodd yn fawr arnaf – sef cylch y capel.

Ond cyn dod at hynny rhaid imi yn fyr gyfeirio at un pwnc y dylaswn ar bob cyfrif fod wedi ei grybwyll ers meitin – sef y Rhyfel Byd Cyntaf.

Chwech oed oeddwn i pan dorrodd hwnnw allan. Effeithiodd y rhyfel yn fawr ar ein teulu ni, fel ar bob teulu arall yn y wlad. Ar wahân i bob math o brinder a dogni ac anghysuron cymharol ddibwys felly, fe ddaeth toc orfodaeth filwrol i lusgo'r dynion ifainc i'r fyddin ac i'r frwydr – a llu afrifed ohonynt i'w tranc. Aeth fy mrodyr innau, Ifan a John Tomos i ffwrdd – y naill i Ffrainc a'r llall i Facedonia a gadewodd y pryder amdanynt ei ôl ar fy rhieni. O drugaredd fe gafodd y ddau eu harbed i ddod yn ôl o'r gyflafan.

Peth arall (llai pwysig lawer) a newidiodd beth ar ein bywyd ni fel teulu.

Rywdro yn 1917 fe symudasom o Fronrhwylfa i dŷ arall ar fin y ffordd isa rhwng Llangernyw a Llanrwst – ond tua'r un pellter o'r

Llan, sef Rhwng-y-ddwyffordd.

Mae Rhwng-y-ddwyffordd yno o hyd – ond wedi ei weddnewid bron yn llwyr. I ni (yr adeg honno) un newid mawr yn dilyn y mudo oedd bod cario dŵr yn llai o lafur o dipyn na chynt, gan bod y ffynnon yn yr ardd.

Rwy'n credu ei bod yno o hyd.

Capel

Dim ond dau o'r enwadau Ymneilltuol oedd wedi ymsefydlu yn Llangernyw, sef y Bedyddwyr a'r Methodistiaid Calfinaidd. Gyda'r Methodistiaid, yng Nghapel y Cwm, oedd ein teulu ni yn aelodau.

Un capel allan o dri mewn un ofalaeth weinidogaethol, ac un 'daith sabothol' oedd Capel y Cwm yn fy ieuenctid i fel y mae heddiw. Y ddau gapel arall (y pryd hynny, fel heddiw) oedd Capel Cefn Erch a Chapel y Garnedd. Cynhelid oedfa bregethu ym mhob un o'r tri chapel ar y Sul – ond bod trefn yr oedfaon yn newid o Sul i Sul ac o gapel i gapel. Cai pob un ohonynt yn eu tro oedfa y bore un Sul, y prynhawn y Sul dilynol, a'r nos y trydydd Sul, ac felly'n olynol. Bob yn ail a'r oedfaon cynhelid cyfarfod gweddi (y bore neu'r nos) neu Ysgol Sul (y bore neu'r prynhawn).

Ni fyddwn yn arfer mynd i'r seiat – ni fyddai fy nheulu yn mynd chwaith. Rwy'n credu bod dau reswm am hyn. Ni chadwai fy 'Nhad noswyl tan tua hanner awr wedi chwech, ac erbyn cyrraedd adref (hyd yn oed pan fyddai'n gweithio ar ffarm weddol agos i'w gartre) byddai'n rhy hwyr iddo newid a cherdded i'r Llan mewn pryd. Am Mam – yr oedd hi'n fyddar. Ni aned mohoni felly. Colli ei chlyw a wnaeth. Nid wyf erioed yn ei chofio'n clywed dim.

Yr unig gyfarfod rheolaidd ar noson waith y bûm i'm mynd iddo oedd y *Band of Hope* (a dyna'r enw a ddefnyddiem ni, nid Gobeithlu na Chyfarfod Plant). Nid af i ymdroi a'r cyfarfodydd hyn, gan mai tebyg oedd y gweithgareddau ynddynt i'r hyn a geid ym mhob ardal arall: ymarfer canu a darllen, cymryd rhan mewn cystadleuon gwybodaeth ysgrythurol a chyffredinol, cystadleuon gwneud araith fyr-fyfyr, cystadleuon cyfarwyddo person dieithr o

21

fan i fan yn yr ardal; y cwbl yng ngŵydd cynulleidfa a'u cyfarch mewn gwir hen gân, caffaeliad buddiol iawn i unrhyw un. O'm rhan fy hun, rwy'n tystio'n groyw imi gael budd a bendith yn ddiamau yn y *Band of Hope*, heb sôn am beth wmbreth o hwyl a phleser.

Pwysicach, er hynny, oedd yr Ysgol Sul. Byddwn yn mynd i honno yn bur ifanc – gan ddechrau gyda'r plant bach yn y festri, dan ofal athrawesau caredig ac ymroddedig. Yr unig beth a gofiaf yn glir yw dysgu'r pennill yn crynhoi sylwedd y Deg Gorchymyn. Ni chofiaf i sicrwydd chwaith ai yn y festri yr oeddwn pan eisteddais arholiad ysgrythurol am y tro cyntaf, ai ynteu gydag imi fynd drwodd at ddosbarth iengaf y capel. Prun bynnag *Rhodd Mam* oedd y maes llafur ac er mai saith oed oeddwn ar y pryd eisteddwn yr Arholiad yn y dosbarth dan 10, am nad oedd dosbarth i oedran iengach. Mae gen i dystysgrif yn y tŷ acw i brofi'r peth. Mae'n ddrwg gennyf ddweud na chyrhaeddais i ddim yn uwch na'r ail ddosbarth.

Yn y capel y cynhelid yr arholiad. Anghywir fyddai dweud ein bod fel ymgeiswyr yn 'eistedd' yr arholiad (na'i sefyll o ran hynny). Yn hytrach ei benlinio y byddem. Fe'n gosodid bob un ar ei ben ei hun mewn seddau yma ac acw ar led y capel – ac yno aem ar ein gliniau ar lawr gan ddefnyddio'r sedd fel bwrdd. Profiad digon anghysurus, a digon brawychus i blentyn saith oed bod yn nyfnder unig sedd ddofn mewn capel llawn o gysgodion a fwrid gan olau anwadal lampau paraffin. Erys oglau'r lampau hynny yn fyw yn fy ffroenau hyd heddiw. Siawns na phery felly bellach, tra byddwyf.

Rhaid oedd i bob ymgeisydd fynd a'i bin a'i inc i'w ganlyn i'r arholiad, ond yr oedd y capel yn cyflenwi'r papur. Yn anffodus, papur ffwlscap, wedi ei linellu yn y dull arferol oedd hwnnw. Yr oeddwn innau wedi arfer efo copi-bwc yn yr ysgol. Yn hwnnw y drefn oedd dwy linell dop a gwaelod a dwy linell go agos at ei gilydd yn y canol rhynddynt; hynny yw, yr oeddech yn defnyddio *pedair llinell ar y tro* wrth sgrifennu. Mi wneuthum innau hynny efo'r papur ffwlscap. Methwn yn lan a deall pam yr oedd y llythrennau'n edrych mor anferthol o fawr. Roedd llythyren fel 'p' fach er enghraifft, a oedd yn defnyddio'r top a'r gwaelod yn ogystal â'r ddwy gul yn y canol, yn cymryd tua modfedd o le ar y papur. Nid rhyfedd bod y dyn oedd yn arolygu'r arholiad yn edrych mewn syndod, a chryn dipyn o ddrwgdybiaeth, pan euthum ato am y trydydd tro. Sut bynnag mi gwblheais yr arholiad. Ond nid dyna ddiwedd helbul y noson honno. Yr oedd Now fy mrawd yntau'n eistedd yr arholiad mewn dosbarth hŷn. Cawswn orchymyn ganddo, gan y byddwn wedi gorffen o'i flaen, i aros amdano yng nghyntedd y capel. Dyna a wneuthum, ond tra'r oeddwn yn aros yn ddigon anniddig, mi lwyddais – i goroni gwaith y noson – i ollwng fy mhotel inc ar y llawr carreg a'i malu'n chwilfriw a gwasgaru'r cynnwys ar, led. Teimlwn fel un euog o gysegr-halogiad. Gwaeth na'r cwbl mi drïais guddio'r anfadwaith o olwg cyfiawnder trwy symud y mat oedd yn y cyntedd i gelu'r llanast.

Mi fedrwn draethu'n hir am fy mhrofiadau yn yr Ysgol Sul. Roedd yn y capel (ar wahân i'r festri) rhyw bump o ddosbarthiadau a'u haelodau'n amrywio o blant tua'r naw neu ddeg oed (dan ofal pengampwr o athro, Mr Manod Owen) i hynafgwyr a hynafwragedd oedd yn ymddangos i mi y pryd hwnnw yn ymgyrraedd at oed Methiwsela. Y dosbarth mwyaf urddasol oedd dosbarth hynaf y dynion – a adwaenid fel y 'Dosbarth o dan y cloc'. Dosbarth o ddadleuwyr a diwinyddion praff gan mwyaf, a phob un yn olau iawn yn ei Feibl. John Ellis y Twlc oedd yr athro. At y dosbarth hwnnw y byddai Syr Henry Jones yn mynd bob tro y deuai ar ymweliad â Llangernyw.

Dull John Jones, athro'r Dosbarth Canol (bechgyn), fel arfer oedd gofyn i bob disgybl ddarllen cyfran o'r ysgrythur bob un yn ei dro, ac yna gofyn cwestiwn ar ei adnod. At ei gilydd yr oedd y method hwn yn gweithio'n ddifai, ond hawdd deall y gallai ar dro anfon yr athro i drybini, naill ai trwy anneall neu trwy ddireidi'r disgyblion. Pwnc y wers un Sul oedd hanes Iesu yn marchogaeth ar ebol asen i Jerusalem. Un o'r adnodau a ddarllenwyd oedd, 'A chwi a gewch asen yn rhwym ac ebol gyda hi', a'r cwestiwn a ofynnodd y bachgen a'i darllenodd oedd: 'Prun ai y tu mewn neu ynteu'r tu allan yr oedd yr asen yn rhwym?'! Cwestiwn arall gafodd John Jones rywdro oedd 'Ddaru'r pysgod foddi yn y dilyw?' Yr oedd cryn ddifyrrwch felly o bryd i'w gilydd. Ar yr un pryd yr oedd cryn lafur a chryn lwyddiant ar waith yr ysgol. Nid bychan fu ei chyfraniad i grefydd ac i ddiwylliant yn yr ardal.

Am oedfeuon y Sul – rhaid dweud mai go ychydig o 'Hoelion Wyth' a fyddai'n dod i Langernyw – ond ar ambell gyfarfod pregethu yn awr ac yn y man. Pregethwr 'at iws gwlad' oedd y mwyafrif ohonyn nhw – rhai ohonynt o gyrhaeddiadau go gyffredin, a rhai eraill, er na chyfrifid monynt ymysg yr utgyrn arian, oedd yn wŷr o allu ac ysgolheictod fel Dr Robert Roberts Trefnant – Y Doctor Bach fel yr adwaenid ef – gŵr oedd wedi ennill Ph.D. ym Mhrifysgol Leipseg am draethawd mewn Almaeneg ar y Koran, beibl y Mahomedaniaid.

Ym mhob oedfa yn ôl hen arfer werthfawr byddai cryn bymtheg neu ddeunaw o blant o bob oedran yn dweud eu hadnodau, a'r rhan fwya yn dweud penillion. Byddai nifer hefyd yn adrodd pennau'r bregeth y Sul cynt, ac yn amal sylwadau arnynt hefyd. Soniais eisioes am John Jones oedd yn athro Ysgol Sul. Bu'n flaenor gwasanaethgar dros ben ac yn ysgrifennydd yr eglwys am flynyddoedd lawer. Byddai'n arferiad ganddo fo wneud nodiadau o bregeth y Sul. Gwerthwr glo a blodiau oedd ef wrth ei alwedigaeth feunyddiol, ac ar gefn papur biliau ei fusnes a hynny a phensel biws y byddai'n cofnodi talpiau o bregethau'r Sul. Erbyn y Sul dilynol byddai wedi copïo rhannau, a'u dosbarthu i un neu ddau o'r plant i'w darllen. Bûm i am rai blynyddoedd yn un o'r dewis ddarllenwyr. Wrth ddod i mewn i'r oedfa – ac ar ei ffordd i'r set fawr – byddai'n pasio pen ein set ni, ac yn trosglwyddo tamaid o bapur ac arno bregeth wedi sgrifennu. Llawysgrifen fân oedd ganddo, ddestlus dros ben, ond yn enbyd o anodd i'w dehongli. Byddwn i'n treulio rhan helaeth o'r oedfa i ail gopïo'r nodiadau yn barod i'w darllen ar y terfyn.

Weithiau byddai John Jones yn anghofio rhoi'r nodiadau imi ar ei ffordd i'r Set Fawr a byddai yn eu handio imi dros gefngor y set fawr *wedi* i mi gyrraedd i'r gwaelod i ddeud f'adnod. (Roeddwn i fel arfer yn sefyll yn ymyl y gongol o'r Set Fawr lle roedd John Jones yn eistedd. Pan ddoi'r amser imi ddarllen y sylwadau, mi ddechreuwn arni a mynd ymlaen yn weddol am ryw frawddeg a hanner – yna mi âi'n dwll yn y faled arna i. John Jones o'r tu ôl imi yn sibrwd 'pasia ddarn'. Minnau'n neidio darn go helaeth a dechrau'n nes ymlaen lle gwelwn i rhyw eiriau dealladwy a dal ati nes methu mynd ymlaen unwaith eto. 'Pasia ddarn' meddai J.J. o'r tu ôl imi eto. Pasio clenc arall reit sylweddol a dod i stop drachefn.

A'r un genadwri yn dod am y trydydd tro 'Pasia ddarn'. Felly drib drab y byddwn i'n ymlwybro i'r diwedd heb imi na'r gynulleidfa fedru gwneud na phen na chynffon o'r genadwri.

Y pentref a'r ysgol

Nid yw cnewyllyn pentre Llangernyw wedi newid cymaint a chymaint er pan own i'n blentyn – er bod wrth gwrs gryn dipyn o adeiladu tai newydd gan gyngor a chan unigolion wedi digwydd ar y cyrion.

Pentre ar bedair croesffordd – ffordd am Abergele, ffordd am Lanrwst, ffordd am Lansannan a'r Bylchau, a ffordd heibio i Blasty Hafodunnos i dopiau Eglwys-bach. Dwy siop – Siop Fawr a Siop Fach. Dwy dafarn – Y Stag a'r Bridge – un yn ymyl yr eglwys a'r llall yn ymyl y capel. Ni thybiaf bod unrhyw arwyddocâd yn hynny!

Ar gwr y pentref wrth ichi fynd am Lansannan mae tair afon: Cledwen, Gallen a Chollen, yn mynd yn un i ffurfio afon Elwy sy'n llifo wedyn heibio i Lanfair Talhaearn ac ymlaen i ymuno yn y pendraw ag afon Clwyd. Tua chanol y pentre yn f'adeg i oedd y Post a thu ôl i'r Post, Efail Elis Jones y Go. Ar sgwâr y llan yn wynebu ffordd Llansannan yr oedd pwmp y pentre – adeilad sgwâr o garreg ac arno wedi'i gerfio adnod o Lyfr y Datguddiad, yn Saesneg: 'Whosoever will, let him drink of the water of life freely.'

Nid yw'r hen ysgol i'w gweld o sgwâr y llan. Mae honno'n sefyll a'i chefn at yr eglwys a'r fynwent, ond, fel y gweddai hwyrach i sefydliad seciwlar, ar lefel gryn dipyn yn is na hwy, ar lain gwastad o dir ar lan afon Collen.

Yr oedd felly berthynas agos rhwng yr hen ysgol a'r eglwys *yn ddaearyddol*. Ond yr oedd perthynas rhyngddynt hefyd mewn ystyr arall.

Ysgol eglwysig - eglwysig *iawn* oedd Ysgol y Llan. Awdurdodau'r eglwys oedd yn ei rheoli hi. Hwy oedd yn penodi yr athrawon. Yn ôl syniadau eglwysig yr oedd hi'n cael ei dwyn ymlaen. Yr oedd cysylltiad agos rhwng eglwys y plwy a sgweier y fro - ef oedd cadeirydd y llywodraethwyr - gŵr o'r enw y Cyrnol

Henry Sandbach. Yr oedd ef wedi *bod* yn trigo yn Hafodunnos, cartref traddodiadol teulu enwog y Llwydiaid am genedlaethau lawer. Ond erbyn hyn yr oedd wedi gadael Hafodunnos a mynd i fyw i Gae'r Llo. Yr oedd ardal Llangernyw felly yn y cyfnod y soniaf amdano a chyn hynny yn byw dan gysgod dylanwad y plas a'r eglwys - a'r ddau hynny yn gweithio law yn llaw. Yr oedd hynny yn arbennig o wir am yr hen ysgol.

Y 'Llan' cyntaf

Yn y cyfnod y soniaf amdano yr oedd ardal Llangernyw, felly, dan gysgod a than ddylanwad y plas a'r eglwys, y ddau'n cydweithio law-yn-llaw.

Yr oedd rhai nodweddion arbennig yn perthyn i Ysgol Llangernyw yr adeg honno a'i gwnâi'n wahanol i ysgolion eraill y cyfnod. Un peth go anghyffredin yn ei chylch oedd bod swydd y prifathro wedi disgyn o dad i fab am dair cenhedlaeth o leiaf. Barnwell oedd cyfenw'r teulu. Yn ystod teyrnasiad y Barnwell cyntaf y bu Syr Henry Jones yn ddisgybl yn yr ysgol. Dilynwyd ef gan ei fab, Henry Barnwell. Ef oedd yr ysgolfeistr yn nyddiau ysgol fy mrodyr a'm chwiorydd, a chefais innau bum mlynedd tan ei awdurdod hyd pan fu farw, yn 1917. Wedyn bu ei ferch, Louie, yn llenwi'r bwlch am gyfnod byr i aros i'w brawd ddod adref o'r fyddin i gymryd y swydd. Dan ei law ef (yn llythrennol weithiau!) y treuliais i fy nwy flynedd olaf yn Ysgol y Llan.

Heblaw hynny, bu Mrs Henry Barnwell yn athrawes ysgol y babanod am flynyddoedd cyn i mi fynd i'r ysgol ac am flynyddoedd ar ôl i mi ddod oddi yno. Dyna i chi felly *bump* o'r teulu a oedd yn rhedeg yr ysgol mewn tua chanrif o amser.

Peth arall: yn ei syniad am ystyr ac amcan addysg, ac yn enwedig yn ei hagwedd tuag at yr iaith Gymraeg, yr oedd Ysgol Llangernyw gryn dipyn ar ôl yr oes. Yn wir, nid oedd wedi newid *yn hanfodol* yn f'amser i ragor yr hyn ydoedd adeg adroddiad enwog y Llyfrau Gleision yn 1847.

Yr oedd yr iaith Gymraeg yn gwbl waharddedig – nid yn unig yn yr ysgol ond yn y buarth chwarae hefyd. Os siaradai un ohonom gymaint â gair o Gymraeg ag un o'i gyd-ddisgyblion, a chael ei ddal, nid oedd ond un peth i'w ddisgwyl: slap â'r gansen ar ei law, neu'n fwy tebyg, ar ei ddwy law. Ac nid rhyw gogio-bach o slap oedd hi, ond un go iawn, yn brathu o ddifrif.

Rwy'n cofio i Owen fy mrawd gael ei gosbi felly am iddo fentro siarad â mi yn Gymraeg ar y 'playground', a hynny gydag imi ddod i'r ysgol am y tro cyntaf, cyn imi gael siawns i ddysgu'r nesaf peth i ddim Saesneg. Pa synnwyr, mewn difrif, oedd disgwyl i fachgen siarad â'i frawd ei hun mewn iaith estron, a honno'n iaith (fel y gwyddai'n dda) na ddeallai'r brawd hwnnw, i bob pwrpas, ddim oll ohoni?

Dyna'r drefn. Yr oeddych yn siarad Cymraeg ar yr aelwyd ac ar y ffordd, yn y caeau ac yn y capel. Yn yr ysgol roedd yn rhaid 'spicio Inglish'.

'Doedd y 'Welsh Not' ddim ar gael yn y cyfnod hwnnw, fel yr oedd yng nghyfnod Syr Henry Jones.

Ond yr oedd yr egwyddor felltigedig yr oedd y blocyn pren yn arwydd gweledig ohoni, yn parhau yn ei holl rym o hyd.

Cofiwch, rwy'n ddigon parod i gredu fod y rhai oedd yn gweinyddu'r gyfundrefn yn *bwriadu'n* dda, yn ôl eu goleuni. Iddynt hwy, pwrpas addysg oedd hyfforddi pobl i ddod ymlaen yn y byd. Yr oedd dod ymlaen yn y byd yn amhosibl heb Saesneg. Y Saesneg fwyfwy oedd iaith dyfodol ymerodraeth fwya'r byd. Yr oedd mân ieithoedd fel y Gymraeg yn llyffetheirio cynnydd. Ac yr oedd ceisio'u cadw'n fyw nid yn unig yn gwneud cam â'r werin, ond yr oedd yn oferedd ffôl – gan mai ymgais ydoedd i atal ymdaith anocheladwy gwareiddiad.

Nid wyf yn dweud fod y teulu Barnwell, a'u cyffelyb, wedi meddwl y pethau hyn allan yn ymwybodol. Ond rhyw gymhellion, fel yna, rwyf braidd yn siŵr, oedd y tu ôl i'w polisi o esgymuno'r Gymraeg o fywyd yr ysgol.

Mi glywais Mam yn deud fel y daeth Ifan fy mrawd adref o'r ysgol rhyw bnawn ag ôl crio arno.

Mam yn holi, 'Gest ti gansen?'

'Do.'

'Am be cest ti gansen?'

'Am sbicio Welsh.'

'Efo pwy?'

'Efo Ifan Morris.' (Cefnder i mi oedd hwnnw.)

'I be roeddet tithau'n "sbicio Welsh" efo Ifan Morris?'

'Wel fedar Ifan Morris ddim "sbicio English".'

I fod yn hollol deg, nid oedd y polisi'n cael ei weinyddu'n gyfangwbl gyson. Yr oedd dau eithriad.

Yr oedd un yn yr 'infants' room'. Ar barwydydd y stafell honno yr oedd rhyw hanner dwsin o siartiau'n hongian, a'r rheini'n cynnwys geiriau hwiangerddi Cymraeg, a lluniau i'w canlyn. Fe fyddem yn mynd dros y rheini'n achlysurol; pethau fel:

Hen fenyw fach Cydweli
Yn gwerthu losin du . . .

a

Bachgen bach o Ddowlais
Yn gweithio 'ngwaith y tân . . .

a

Mi af i'r ysgol fory
A'm llyfyr yn fy llaw,
Heibio'r Eglwys Newy'
A'r cloc yn taro naw.
O Mari, Mari, cwyn,
Mae heddiw'n fore mwyn
Mae'r gwcw fach yn canu
A'r adar yn y llwyn.

(Fe sylwir mai penillion o dde Cymru oedd yr uchod. Credaf mai cwmni o'r de oedd y cyhoeddwyr. Yr oedd nifer o'r geiriau'n ddieithr i ni, blant y gogledd. Dangosai'r llun efo'r pennill mai rhyw fath o ddynes oedd yr hen fenyw, ond beth ar y ddaear oedd 'loshin'? Nid eglurodd neb inni, hyd y cofiaf, nac egluro inni chwaith ymhle'r oedd Dowlais a beth oedd 'gwaith y tân'. A pham yr oedd eisiau galw ar Fari i 'gwyno' am ei bod yn fore mwyn? Ni ddeuthum i wybod am lawer blwyddyn wedyn [dichon na wybu ein hathrawes erioed] mai nid i 'gwyno' ond i 'gwnnu' [codi] yr anogid Mari yn y pennill.)

Yr enghraifft arall o roi lle i'r Gymraeg oedd dysgu inni yn yr 'ysgol fawr' nifer (ychydig iawn) o alawon Cymraeg a geiriau Cymraeg i'w canu arnynt. Ni fedraf alw i gof ddim ond un o'r rheini. Yr alaw oedd 'Y Fwyalchen' ar y geiriau, 'O gwrando y beraidd fwyalchen, clyw eden, mwyn serchog liw du'.

Dyna, yn y ddau eithriad pitw yna, swm a sylwedd hynny o Gymraeg a gaem ni yn yr ysgol. Y cwestiwn sy'n ymgynnig ydyw hwn: Pam y trafferthwyd o gwbl efo cyn lleied? Yr ateb, rwy'n meddwl erbyn hyn, oedd bod yr awdurdodau addysg, yn Llundain ac yng Nghymru, dan ddylanwad pobl fel Dan Isaac Davies ac O.M. Edwards ac eraill erbyn hynny yn argymell rhoi mwy o le i'r iaith yn yr ysgolion. Yr oedd arolygwyr y llywodraeth yn dechrau holi ysgolfeistri *beth* yr oeddynt yn ei wneud ynglŷn â hynny. Y mymryn o Gymraeg a dderbyniem ni yn Llangernyw oedd y lleiafswm posib, yn nhyb yr ysgolfeistr, i droi trwyn yr 'inspector'.

A gaf i sôn am ddigwyddiad yr wyf yn ei gofio sy'n ategu hyn? Un diwrnod fe ddaeth arolygwr i'r ysgol, a rhaid ei fod wedi gofyn am gael clywed plant Standard V, VI a VII yn darllen Cymraeg. Dyma'r prifathro'n mynd i'r gist o flaen ei ddesg lle y cedwid llyfrau darllen, ac o'i pherfeddion yn codi pentwr o lyfrau allan, ac yn peri i ddau o'r hogiau eu dosbarthu o gylch y 'clas'. Er dirfawr syndod i ni blant, llyfrau Cymraeg oeddynt – set newydd sbon danlli, ddifrycheulyd o *Cartrefi Cymru* O.M. Edwards. Ni wyddem hyd y funud honno gymaint â'u bod yn yr ysgol.

Er mwy fyth o syfrdandod inni dyma beri inni yn ein tro ddarllen allan o'r llyfr. Ac er nad oedd yr un ohonom wedi ei weld o'r blaen, fe lwyddodd y rhan fwyaf ohonom i wneud hynny yn weddol foddhaol, ac yr oedd nifer go dda yn darllen – a hynny ar yr olwg gyntaf – yn gwbl rugl a synhwyrol.

A argyhoeddwyd yr arolygydd, ni wn. Ond y gwir plaen amdani oedd nad oedd a wnelo'r ysgol ddim oll â'n gallu i ddarllen Cymraeg. Yr oeddem yn ddyledus am hynny'n llwyr i'n cartrefi ac i'r Ysgolion Sul.

Am yr 'ysgol-bob-dydd' ei hamcan oedd ein seisnigo, a deuai hynny i'r amlwg yn y manion rhyfeddaf – yn y ffordd, er enghraifft, y dysgid ni i ynganu a sbelio enw ein pentref. Nid oeddym, ar boen ein bywyd, i ddweud Llangernyw, ond Llan-*gyniw*, gan ddal yn hir ar yr 'y' yn y canol. Ac os mynnem osgoi'r gansen yr oedd yn rhaid bod yn ofalus i sbelio'r enw yn *Llangerniew.*

Gartref, fy enw gan bawb o'r teulu oedd 'Bob'. Oddi allan, ac yn y capel, mi fyddwn weithiau yn cael fy nyrchafu'n 'Robat Elis'. Ond yn yr ysgol, wnâi dim byd mor goman â hynny'r tro. Yno yr oeddwn yn cael fy nhrawsnewid a'm tra-gogoneddu yn *'Rawbyt Ellys'* (Ceisiwch ei ynganu fel petaech yn perthyn i Mrs Thatcher.) Yn yr un modd troid pob Arthur yn 'Author', pob Ifan yn 'Evan' a phob Wiliam Defi yn 'Wiliym Dayvyd'.

Yr oedd pethau eraill yn dangos bwriad nid yn unig i'n Seisnigo o ran iaith ond ein Prydeinio o ran teimlad. Yr oedd hyn yn arbennig o amlwg ym mlynyddoedd y Rhyfel Mawr. Byddai'r prifathro yn rhoi gwersi inni ar gwrs y rhyfel, a phwyslais ar y buddugoliaethau mawr yr oedd y papurau yn eu croniclo'n huawdl. Byddem yn cael bathodynnau a llun Lord Kitchener arnynt i'w gwisgo. Byddem yn mynd oddi amgylch y ffermydd i hel wyau i'w hanfon i'r sowldiwrs. (Credwch fi neu beidio enillais dystysgrif am fy sêl a'm llwyddiant yn y gorchwyl hwnnw!) Byddem yn dysgu caneuon poblogaidd y dydd yn ein gwersi canu – pethau fel 'Tipperary' a 'Keep the Home Fires Burning'. Dysgem farddoniaeth wlatgar (Seisnig). Waeth imi gyfaddef, roedd y 'mynd' yn ambell un o'r rhain, fel 'Admirals All' Henry Newbolt yn apelio ataf, yn enwedig rhyw bennill fel hyn:

Splinters were flying above, below,
When Nelson sailed the Sound;
'Mark you, I wouldn't be elsewhere now'
Said he, 'for a thousand pound'.
The Admiral's signal bade him fly,
But he wickedly wagged his head,
He clapped his glass to his sightless eye
And 'I'm damn'd if I see it,' he said.

Yr adeg honno llyncwn i, a'r gweddill o'm cyfoedion hefyd, y tinc ymerodrol yn ddi-halen.

Yn goron ar y cwbl, ac i orffen ein cyflyru, byddem ar *Empire*

Day (Mai 24ain) yn martsio bob yn un, o'r ieuengaf hyd yr hynaf, i saliwtio'r Iwnion Jac a chwifiai oddi ar bolyn ar ganol y lawnt las gyferbyn â'r ysgol! O leiaf, saliwtio a wnâi'r bechgyn. Tebyg mai gostwng yn eu garrau (gwneud cyrtsi) a wnâi'r genethod er, rhaid imi gyffesu, na chofiaf ddim am hynny.

Prin y mae angen ychwanegu na welais i yr un 'Ddraig Goch', na chlywed crybwyll amdani trwy'r holl adeg y bûm yn yr ysgol.

Wedi treulio cryn amser (gormod efallai) i ddisgrifio awyrgylch yr ysgol, mor anghymreig a gwrth-Gymreig ydoedd, mi hoffwn sôn am drefniadaeth yr ysgol, a cheisio bras-ddarlunio sut y byddem yn treulio diwrnod nodweddiadol oddi mewn i'r muriau.

I ddechrau'r diwrnod o'i gwr . . . Disgwylid i'r plant gyrraedd – rai ohonynt wedi cerdded tair neu bedair milltir ym mhob tywydd – yn brydlon erbyn naw o'r gloch y bore. Nid oedd pellter ffordd na gerwinder hin yn cael ei ystyried yn rheswm digonol am fethu â bod mewn pryd, ac i'r anffodusion a gyrhaeddai'n hwyr, y gansen oedd eu hanochel dynged.

Yr oedd dwy fynedfa i'r ysgol, dau 'bortsh' fel y galwem ni hwy, un i'r genethod a'r llall i'r bechgyn, un ym mhob pen i'r adeilad. Byddem yn ymgynnull yn y 'portsh' yn rhengau yn ôl ein dosbarthiadau, ac yna, wrth orchymyn, yn martsio – a martsio yw'r gair iawn – i'n priod leoedd, y babanod i'r 'ysgol bach' a'r gweddill ohonom i'r ysgol fawr.

Gyda llaw, byddai'r orymdaith hon yn cael ei hail-adrodd wrth inni fynd adref ar ddiwedd y pnawn, ond i'r cyfeiriad arall, wrth gwrs. Ac yn yr haf, wedi pwl o wres a phlanciau hynafol y llawr wedi hen sychu, byddai cwmwl tew o lwch yn codi o'n hôl. Wrth droi heibio i gongl 'bwrdd du' Standard I i fynd am 'bortsh yr hogiau' byddai'r bechgyn, wrth fynd allan, yn rhoi saliwt i'r sgŵl (a safai'n stond yn ei ddesg yng nghanol yr ysgol) cyn smartied ag unrhyw inffantri a welsoch chi erioed.

Yn yr un ystafell yr oedd yr holl ddosbarthiadau o Standard I i Standard VII wedi eu trefnu – y pen agosaf i'r 'inffans' Standard I a II dan ofal athrawes – yn y pen gyferbyn, Standard III a IV o dan ofal athrawes arall; ac yn y canol, dan warchodaeth y prifathro, Standard V, VI a VII.

O flaen y desgiau hirion, bedair neu bump ohonynt, lle'r eisteddai V, VI a VII yr oedd lle agored sgwâr, ac ynghanol

31

hwnnw, a'i chefn ar y pared agosaf i'r iard, yr oedd desg uchel y 'mistar'. Ar silff gyfleus o dan drôr y ddesg yr oedd saith neu wyth o gansenni, o wahanol drwch, yn barod ar gyfer y galw mynych am gosbi troseddwyr. O'i ddesg, gallai 'mistar' gadw llygad eryr, nid yn unig ar ei ddosbarth ei hun, ond ar yr holl ysgol a phopeth a oedd yn mynd ymlaen ynddi.

Dylid cofio nad oedd unrhyw fath o 'bartisiwn' i gadw'r dosbarthiadau ar wahân; yr unig derfyn rhyngddynt oedd mymryn o lwybr rhyw ddwy droedfedd o led. A chan mai'r rhan fwyaf o'n gwaith dysgu ni oedd cyd-ddweud, neu'n fwy cywir cyd-lafarganu, mae'n rhaid fod yno gryn dipyn o sŵn, er bod yn rhaid imi dystio nad oes gennyf fawr o gof am hynny. Mae'n debyg ein bod wedi cynefino digon â'r twrw iddo beidio â mennu rhyw lawer arnom. Ar yr un pryd, oherwydd fod pob dosbarth yng nghlyw ac yng ngolwg ein gilydd, yr oedd yn wastad demtasiwn gref i adael i'n sylw grwydro oddi wrth waith ein 'clas' ni at yr hyn oedd yn digwydd y drws nesaf.

Mae gen i awydd adrodd un hanesyn sy'n darlunio hyn yn fyw iawn. Nid oeddwn i fy hun yn dyst o'r digwyddiad – mi *roedd* fy mrawd Owen, ac ef a glywais i'n dweud yr hanes. Ar bnawn Gwener tra byddai'r Mistar yn gwneud y cofrestrau (y registers) i fyny – adio cyfanrifau presenoldeb pob dosbarth am yr wythnos, neu o bosib am y mis, a gweithio allan y canrannau – gwaith trafferthus a diflas fel y gwn i'n dda drwy brofiad, a gwaith tra di-les hefyd. Wel, tra byddai'r mistar wrthi ar y dasg honno, mi fyddai Standard V, VI a VII yn gwneud gwaith arlunio – '*droing*' oedd ein henw ni ar y peth. Un prynhawn Gwener yr oedd V, VI a VII wrthi'n tynnu llun rhywbeth neu gilydd a'r drws nesaf iddynt yr oedd Standard III a IV yn gwrando stori'n cael ei hadrodd gan eu hathrawes, Miss Edith Jones. Roedd Miss Edith yn meddu dawn ddihafal i ddweud stori ac i ennyn a chadw diddordeb ei gwrandawyr. Y pnawn yma roedd hi, a'i medr arferol, yn dweud rhyw hanes cyffrous wrth ei dosabrth, a'r rheiny'n gwrando'n geg-agored. Ond nid y nhw'n unig. Roedd un o leiaf o hogiau'r '*top-class*' yr ochr arall i'r llwybr wedi anghofio'r cwbl ers meityn am y '*droing*' yr oedd o i fod i'w wneud, ac yn rhoi ei holl sylw i stori Miss Edith. Yr oedd y stori honno yn mynd yn fwy cyffrous o frawddeg i frawddeg – ac roedd Dafydd (galwn ni o'n Dafydd am y tro) yn mynd yn fwy a mwy cynhyrfus, nes llwyr anghofio ei hun a'i gymdogion a'i waith. Yn wir yr oedd o wedi mynd i ysbryd y darn mor llwyr, nes ei fod o ers meitin yn ysgwyd ei bensel yn ôl a blaen ffwl sbid. Gellwch ddychmygu beth a ddigwyddodd. Pan ddaeth stori Miss Edith i ben a phan ddaeth Dafydd yn ôl o fyd dychymyg i fywyd bob dydd – yr oedd ei bapur *'droing'* wedi ei orchuddio â'r sgribls mwyaf ofnadwy. Y foment honno mi ddaeth y sgŵl rownd i weld cynnyrch artistig ei ddosbarth. Mi adawaf i chi ddychmygu sut y bu hi pan welodd gampwaith Dafydd druan.

Wel, dan amodau o'r fath, a thua phedwar ugain neu fwy o fechgyn a merched o amryfal oedran a chyraeddiadau, wedi eu gwasgu ynghyd i un ystafell a honno heb fod yn rhy helaeth, mae'n syndod ein bod wedi dysgu dim. Ac o gofio'r anfanteision mae'n gryn glod i'n hathrawon eu bod wedi llwyddo i bwnio cymaint ag a wnaethant o wybodaeth i bennau digon gwrthnysig yn aml.

Mae'n ddigon tebyg fod yr amodau yr wyf newydd eu disgrifio yn egluro, i fesur, lymder y ddisgyblaeth arnom. *'Sit still'*; *'Don't turn round'*; *'Don't talk'*; *'Don't speak until you're spoken to'*. Dyna'r gorchmynion oedd yn seinio yn ein clustiau drwy'r dydd a phob dydd, ac o'u torri, gwae ni. Ni fuasai'r un addysgwr heddiw yn rhoi sêl ei fendith ar drefn o'r fath. Ar yr un pryd, fel yr oedd pethau, buasai'r stafell honno yn Llangernyw wedi troi toc iawn yn fedlam wyllt, heb fod yno reolaeth bur gaeth, a llaw go gadarn i'w gweinyddu.

Sut y byddai'r dydd yn mynd ymlaen yn yr ysgol?

Wedi martsio i mewn i'r ysgol yn y bore, fel y dwedais, cyn debyced i sowldiwrs ag y gallem, fe safem i gyd, yr ysgol gyfan, i gydadrodd Gweddi'r Arglwydd dan arweiniad y prifathro, yn Saesneg wrth gwrs. Rwy'n cofio fel y byddem yn llafarganu, 'Owyr ffaddyr witsh tsiarj in hefn', ond chwarae teg i ni, fyddem ni ddim yn mynd ymlaen i ddweud, 'Harold bi ddai nêm' fel, yn ôl a glywais, y byddai plant rhai ysgolion eraill yn gwneud. Na, fe fyddem ni'n dweud, 'Halwed bi ddai nêm', yn ddigon duwiolfrydig er nad oedd gan yr un ohonom, hyd y gwn, unrhyw syniad beth oedd ystyr y geiriau. Ac ni cheisiodd neb erioed eu hesbonio inni.

Fel yna yr aem ni ymlaen, ar dop ein lleisiau, drwy gymal ar ôl cymal o'r Pader nes gorffen yn fuddugoliaethus â *'For thine is the kingdom, the power and the glory for ever and ever. Amen'*.

Ar ôl y weddi, byddem yn canu emyn, yn Saesneg eto bid siŵr. Dim ond un o'r emynau y gallaf eu galw i gof erbyn hyn, a dim ond un pennill o hwnnw: *'There is a green hill far away / Without a city wall / Where ye dear Lord was crucified / Who died to save us all'*. Yr oeddem wedi ei ddysgu, fel y dysgem bopeth, drwy ei adrodd a'i ailadrodd lawer gwaith trosodd ar ôl y sawl a'n dysgai; a dyna'r cwbl a fernid yn angenrheidiol. Ni thrafferthodd neb i egluro'r ystyr. Yr oeddwn yn deall y llinell gyntaf yn burion; ond yr oedd *'without a city wall'* tu hwnt i'm crebwyll. Pam, o pam, na fuasai rhywun wedi gweld yn dda i ddweud wrthym nad ein hystyr arferol ni bellach i'r gair oedd i *'without'* yn y llinell, ac mai'r gwrthwyneb i *'within'* a olygai. Am yr *'ye dear Lord'* yn y drydedd linell yr oedd hwnnw'n ddirgelwch diamgyffred. Deallwn y *'Lord'* ond beth o dan y nef oedd *'eedier'* (cofier na welsem mo'r geiriau mewn print nag ysgrifen, dim ond eu clywed). Ymhen blynyddoedd wedyn y ffeindiais nad oedd yr *'ye'* yn ddim ond ffordd hen ffasiwn yn Saesneg o ysgrifennu *'the'*.

Y wers gyntaf yn y bore, fel arfer, oedd gwers ysgrythur, ac er mai estron oedd yr iaith mae'n rhaid imi dystio y byddwn i'n cael blas mawr ar y gwersi hynny, yn enwedig, am ryw reswm, y rhai a gefais yn *Standard one and two*. Miss Jones oedd enw'r athrawes ond nid â'r enw hwnnw y byddem ni yn ei chyfarch. Yn ystod y blynyddoedd y bûm i yn yr ysgol, bu yno dair is-athrawes a'r tair yn dwyn y syrnâm Jones. I'w gwahaniaethu oddi wrth ei gilydd fe fyddem yn defnyddio eu henwau cyntaf, gan eu cyfarch fel Miss *Edith*, Miss *Jennie* a Miss *Kitty*.

Yr oedd Miss Kitty, athrawes Standard I a II, yn gloff (canlyniad rhyw ddamwain yn gynnar ar ei hoes) ond nid cloff mo'i gwersi o bell ffordd; yn hytrach yr oeddynt yn sionc a bywiog dros ben. Cyflwynid inni hanesion Beiblaidd allan o lyfr clawr coch yn dwyn y teitl *Line upon Line*. Os trowch i'r wythfed bennod ar hugain o Eseia, a'r ddegfed adnod, fe welwch o ble y cafodd yr awdur y teitl a gweld ei briodoldeb. Dysgai Miss Kitty inni hanesion am y Creu, a'r Dilyw, hanes Abram, Isaac a Jacob a llu eraill. Rwy'n cofio hyd heddiw rai o'r ymadroddion Beiblaidd y byddai hi'n peri inni eu hadrodd ar ei hôl o *Line upon Line*. A ydych yn cofio bargen gyfrwys Jacob a'i ewythr Laban, ei fod o i gael yr anifeiliaid brithion a Laban y rhai gwynion? Mae'r geiriau yn y Beibl Saesneg fel y'i dyfynnid yn y llyfr yn disgrifio cyfran Jacob, mor fyw yn fy nghof heddiw â phan glywais hwy gyntaf oddi ar wefusau Miss Kitty ddeng mlynedd a thrigain yn ôl: *'All the speckled and spotted cattle and all the sheep that are brown'*. Yr un modd cofiaf eiriau Isaac ddall yn ei benbleth oherwydd ystryw ei wraig Rebecca (fe gofiwch yr hanes yn llyfr Genesis). *'The voice is Jacob's voice but the hands are the hands of Esau'* oherwydd, wrth gwrs, *'Esau was a hairy man, but Jacob was a smooth man'*. Ni fedraf fyth ddarllen ateb Iesu yn ddeuddeg oed, yn y Deml, i'w rieni pryderus (fel y'i croniclir yn y Cyfieithiad Awdurdodedig Cymraeg), 'Oni wyddech fod yn rhaid i mi fod ynghylch y pethau a berthyn i'm Tad?' heb gofio hefyd y fersiwn Saesneg a ddysgais yn Standard II gynt: *'Wist ye not that I must be about my father's business?'*

Rhan bwysig o faes Llafur Ysgol y Llan fel Ysgol eglwysig oedd dysgu Catecism yr eglwys – ei ddysgu i'r holl ddisgyblion yn ddi-wahaniaeth er bod ein hanner, os nad mwy na'n hanner yn gapelwyr anghydffurfiol. Nid bod dysgu'r catecism yn peri fawr o niwed i'r capelwyr; lles fuasai, ond odid. Y drwg oedd mai yn Saesneg y dysgem y cyfan; mwy na hynny ei ddysgu ar dafod leferydd, wrth ei glywed, a'i ail-adrodd drosodd a throsodd. Gwaeth na'r cwbl ei ddysgu, hyd y cofiaf i, heb ymgais o fath yn y byd i egluro'r hyn a ddysgem.

Yr oedd y Catecism yn dechrau â chwestiwn, *'What is your name?'*, a'r ateb oedd N. or M. *'Who gave you this name?'* oedd y cwestiwn nesaf, a'r ateb oedd *'My Godfathers and Godmothers in my Baptism.'* Wel, roedd hynny'n anwiredd rhonc, achos fu gen i 'rioed *'Godfather'* na *'Godmother'*. I mi ar y pryd roedd y termau'n rhai annelwig iawn eu hystyr. Roeddwn i wedi clywed mewn straeon tylwyth teg am *'fairy* godmother', deall bod 'fairy godmother' yn beth handi iawn i feddu arni, ac yn gymorth hawdd ei chael mewn cyfyngder. Ond roeddwn yn eitha sicr yn fy meddwl na fu a wnelo fi erioed a bod o'r fath.

Wedyn, fe fyddem yn dysgu adrodd y Deg Gorchymyn, neu'n hytrach y *'Ten Commandments'*, adrodd y Credo (yr 'Eibilî, chwedl ninnau), a *'my duty towards God'* a *'my duty towards my neighbour'*. Cofiaf hyd heddiw frawddegau'r olaf hwn: *'My duty towards my neighbour is to love him as myself . . . to do to all men as I would they should do unto me . . . to honour and obey the King . . . to order myself lowly and reverently to all my betters'*. Pe bawn yn deall ar y pryd ystyr y geiriau a adroddwn yn enwedig y brawddegau olaf ohonynt, hwyrach y buasai gennyf hyd yn oed yn yr oed hwnnw gwestiwn neu ddau i'w ofyn. Sut bynnag nid oes amser yn awr ac yn sicr nid dyma'r lle i fynd ar eu hôl.

Cyn gadael *'my duty towards my neighbour'*, rwy'n cael fy nhemtio i adrodd hanesyn am ddigwyddiad arbennig sydd, wrth edrych yn ôl arno, yn dangos ffolineb y drefn o geisio dysgu gwersi i unrhyw un mewn iaith nad ydyw'n ei deall.

Yr oedd criw ohonom, blant, fel arfer, yn cyd-gerdded adref o'r ysgol – gryn wyth neu naw ohonom a oedd yn byw yn yr un cyfeiriad. Byddem yn troi o'r briffordd yn nhrofa'r Graig – y tŷ lle mae John Hughes, y Cymro pybyr sy'n Faer Dosbarth Colwyn ar hyn o bryd [1985], yn byw. Mae'r Graig wedi prifio a gweddnewid er gwell ers blynyddoedd. Y pryd hwnnw bwthyn bach unllawr digon diolwg ydoedd. Dyn o'r enw Wiliam Huw Williams oedd y tenant – gŵr a oedd, oherwydd damwain, yn gloff iawn o'i ddau droed. Gan na adawai ei gloffni iddo ddilyn un o'r galwedigaethau arferol yr oedd wedi mynd ati i gadw ffowls ac ennill mymryn o fywoliaeth trwy fynd o gwmpas y wlad efo rhyw drol isel, a merlyn i'w thynnu, i werthu y cywion ac wyau ac ati.

Yn yr hewl yng nghefn y tŷ cadwai'n wastad nifer go lew o ffowls, – ceiliogod a ieir a chywion o wahanol faintioli a lliw a llun, ac ambell hwyaden ar dro. I'w cadw rhag dianc, yr oedd wedi gosod i fyny ffens weddol uchel o weiar-net rhwng yr hewl a'r ffordd.

Byddem ninnau blant yn cymryd diddordeb mawr yn yr ieir ac yn treulio peth amser bob dydd wrth ddod o'r ysgol (doedd dim amser wrth fynd!) i ddal sylw ar eu gweithgareddau cyn mynd ymlaen ar ein taith. Rhyw brynhawn anarferol o boeth, a'r criw ffowls yn clertian yn ddiog yn y gwres, fe sylwasom fod un cyw'n gorwedd yn hollol lonydd – yn gwbl ddiymadferth. Cododd dadl yn ein plith a oedd yn fyw ai peidio. I setlo'r cwestiwn dyma Jac Bryn Tirion yn codi cloben o garreg, ac yn ei lluchio i gyfeiriad y cyw, gyda'r bwriad o'i styrbio, os oedd anadl einioes ynddo. Yn anffodus fe anelodd yn *rhy* gywir, a tharo'r creadur nes peri i hwnnw roi naid sydyn i'w awyr dan wawchio dros y lle. Roedd o'n fyw yn ôl reit.

Ond nid oedd amser i feddwl am bethau felly, a dyma'r holl fintai ohonom yn ffoi nerth carnau nes rhoi digon o bellter rhyngom â pherchennog y cyw inni fedru teimlo'n ddiogel.

Ganol y bore drannoeth daeth cnoc ar ddrws yr ysgol – drws mynedfa'r bechgyn – a phwy oedd yno ond Wiliam Huw. Ar orchymyn y prifathro, dyma ddod â fo i mewn i'r sgwâr agored yng nghanol yr ystafell. William Huw'n egluro mewn Saesneg cyn gloffed ag efe i hun bod un o'r cnafon plant oedd yn mynd heibio i'r Graig y pnawn cynt wedi anafu'r cyw gorau oedd ganddo ar ei elw –ei anafu mor ddrwg, nes gorfod ei ladd.

Dyma alw allan bawb o'r plant a basiai'r Graig ar eu ffordd adref a rhoi cwest arnynt i gael allan pwy oedd euog o'r anfadwaith. Buan iawn y doed o hyd i'r troseddwr. A wyddoch chi beth a ddigwyddodd wedyn?

Y sgŵl yn gorchymyn i Jac Bryn Tirion droi i wynebu Wiliam Huw ar ganol llawr yr ysgol ac adrodd iddo, *'My duty towards my neighbour'*. Mi gofiaf fyth yr olwg lywaeth oedd ar y ddau, ac ni wn yn wir prun ohonynt oedd yn edrych wirionaf – ai Jac yn baglu a stryffaglu drwy druth nad oedd yn chwarter ei ddeall, ynteu William Huw yn gwrando'n ddafadaidd ac yn deall llai fyth. A'r ddau, mi fentra 'mhen, yn 'difaru eu bod erioed wedi 'nabod y ffowlyn anffodus hwnnw.

Cyn gadael pwnc y gwersi crefydd ac ysgrythur efallai y dylwn grybwyll un peth arall. Un unol â'r arfer mewn ysgolion eglwysig byddai un o Ganoniaid Esgobaeth Llanelwy yn ymweld ag Ysgol Llangernyw yn flynyddol i roi arholiad i'r plant ar eu gwybodaeth ysgrythurol. Arholiad llafar ydoedd a thrwy ennill hyn-a-hyn o farciau fe gaech dystysgrif yn dynodi i ba ris yr oeddech wedi cyrraedd. Yr oedd lliw gwahanol i dystysgrif bob gris. Gwyrdd oedd lliw tystysgrif y babanod; wedyn yr oedd pump o raddfeydd, du, glas, coch, porffor ac aur. Y pwynt oedd bod yn rhaid i chi ennill pob un yn ei drefn, hynny yw yr oedd yn rhaid ichi ennill y dystysgrif ddu cyn y caech eich ystyried am yr un las, hyd yn oed pe bai'n rhaid ichi fod am flynyddoedd wrthi. Yr oedd ambell blentyn anlwcus na chafodd ei ddonio â chof rhy afaelgar, na chodai fawr uwch na'r ddu, na hyd yn oed y werdd, yn ystod ei holl yrfa. Sustem bur annheg oedd hi, yn ffafrio'r 'cofwyr' gorau, a hynny'n aml ar draul rhai mwy deallus. Yr oeddwn i'n ffodus, meddwn ar gof difai, a dyna pam y mae gennyf set gyflawn o'r tystysgrifau, o'r werdd i'r aur yn y tŷ acw hyd heddiw. Yr oedd Mam wedi eu cadw'n ofalus. Cynnil iawn fyddai hi o eiriau canmoliaethus pan fyddai un ohonom ni'r plant yn cael rhyw lwyddiant neu'i gilydd, ond yn ddistaw bach byddai'n ymfalchïo. Prawf o hynny oedd y modd yr oedd hi wedi diogelu pob math o dystysgrifau ac adroddiadau ysgol a dogfennau o'r fath. A phan fu hi farw yn 1927, a'r hen gartref yn gorfod cael ei chwalu, ni fedrwn fagu calon i gael gwared â'r casgliad – ac acw y maent o hyd, yn mynd â lle ac yn hel llwch.

I ddod yn ôl at y gwersi. Treuliais ormod o amser yn sôn am yr ochr grefyddol i waith yr ysgol. Gwell imi bellach roi ryw gipolwg ar rai o leiaf o'r pynciau eraill oedd yn ein maes llafur.

Yr oedd y *'three R's'* yn cael sylw amlwg, wrth gwrs – *'Reading, 'riting and 'rithmetic'.*

Am y Rhifyddeg, er cymaint amser a roddid i'r pwnc, nid oedd gennyf fawr i'w ddweud wrtho. Annisglair i'r eithaf oedd fy ngyrfa i mewn Mathemateg ar hyd y blynyddoedd, ac wedi ei drio yn arholiad y *'Senior'* – a methu pasio – mi genais yn iach iddo yn llawen iawn, ac ni fu imi ddim a wnelai ag ef, nes daeth yn amser ymhen y rhawg imi orfod am gyfnod geisio dysgu rhifyddeg i blant Tal-y-bont a Chwm Penmachno, druain ohonynt.

I ni ystyr 'rhifyddeg' oedd 'gwneud syms' ac ar lechi, ac ar ein traed, y byddem ni'n gweithio'r 'syms' hynny, y rhan fwyaf o'r amser. Wedi i'r athrawes ysgrifennu rhyw hanner dwsin o symiau ar y bwrdd du, byddem ninnau yn eu gweithio allan ar ein llechi. Yr oedd y rhan helaethaf o'n gwaith ysgrifenedig yn cael ei wneud ar lechen efo pensel garreg.

Dyma ddisgrifiad y diweddar Syr Ifor Williams o bethau fel yr oeddynt yn Ysgol Llandygái pan âi ef yno yn chwech oed:

Llechi oedd y defnydd rheolaidd i ysgrifennu arno, a'r offeryn oedd pensel garreg neu garreg nadd fel y galwem hi. Medrem gael gwich hyfryd hefo'r garreg nadd weithiau nes byddai'r titsiar yn neidio. I lanhau'r llechen yr arfer gyffredin oedd tafod a bôn bawd; yr oedd ein bodiau a chledrau ein dwylo o'r herwydd yn ddu fel eboni, a rhyw sglein ar y duwch. Fel y tyfodd gwareiddiad yn ein plith, daeth sbwnj ar arfer, gwylchid ef a'i gadw'n wlyb mewn blwch bach. Tipyn o rodres merchedaidd oedd mewn gwirionedd, a gwell oedd gan y mwyafrif ohonom yr hen ddefod. Yr oedd tafod wrth law bob amser, nid felly'r blwch sbwnj:

Mae disgrifiad Syr Ifor yn ffitio bron i'r dim yr amgylchiadau fel yr oeddynt yn Ysgol Llangernyw pan oeddwn innau a'm cyfoedion yn Standard I. Yr oedd unig wahaniaeth o bwys, am wn i, oedd mai godre'n llewys a ddefnyddiem ni at lanhau'r llechen – nes byddai pob llawes tu isaf i'r penelin yn un grêst loywddu o ddŵr-a-llwch-llechi wedi hen galedu.

Yn ôl at y wers syms. Ar ein traed fel y dwedais y byddem ni'n gwneud y symiau gosodedig, ac fe'n gosodid ninnau i sefyll fesul dau, gefngefn â'i gilydd – rhag inni gopïo y naill oddi wrth y llall! Wedi ichi orffen eich holl syms yr oedd yn rhydd ichi eistedd i lawr. Tair mainc ddi-gefn oedd gennym yn Standard I – dwy yn rhedeg yn gyfochrog o ddeutu'r bwrdd du llydan ac un arall yn rhedeg yn groes iddynt. O flaen y bwrdd ddu yr oedd hen gist bren enbyd o hynafol ac enbyd o ddi-addurn. Yn honno y cedwid amryfal lyfrau'r dosbarth, ac ar honno (pan fyddai cyfle ac angen) yr eisteddai'r athrawes.

Dweud yr oeddwn, wedi cwblhau eich symiau, bod caniatad ichi eistedd, a rhoi eich llechen (a'r syms ar yr wyneb isa) i lawr i orffwys yn erbyn gwaelod eich coesau. Wedyn fe gaech dynnu llun ar gefn eich llechen (heb ei symud wrth gwrs – hynny'n golygu mai yn eich cwman yr oedd rhaid ichi fod wrthi) – llun unrhyw beth a fynnech. Amcan y caniatâd hwn, bid siŵr, oedd rhoi rhywbeth ichi i'w wneud a'ch cadw rhag gwneud drygau, i aros nes cai'r athrawes gyfle i farcio'ch gwaith.

Ar un cyfnod yr un llun fyddai gen i ar fy llechan naill ddiwrnod ar ôl y llall – llun dyn. Rhyw ddiwrnod fe ofynnodd yr athrawes imi pwy oedd y dyn. Pan atebais innau, 'Lloyd George', ddeudodd hi ddim byd, ond yr oedd ei hwyneb hi yn ddigon i

39

ddweud nad oedd hi wedi ei phlesio. Doeddwn i yn yr oed hwnnw ddim yn ddigon hyddysg yn wleidyddol i wybod pam yr oeddwn i wedi pechu. Be wyddwn i nad oedd arwr mawr y 'Nhad – yng ngolwg sefydliad yr ysgol, gan gynnwys Person y Plwyf a Sgweiar y fro – yn ddim ond adyn diegwyddor yn llawn haeddu ei grogi?

Rhaid imi ddweud y byddwn i'n mwynhau y gwersi daearyddiaeth er mai ychydig oedd ynddynt o ddaearyddiaeth yn yr ystyr a roddir i'r gair yn ysgolion heddiw. Yn hytrach dysgu rhestrau o enwau oedd llawer o'n gwaith – enwau gwledydd Ewrob a'u prifddinasoedd, enwau prif afonydd Prydain ac Ewrob, enwau'r penrhynnoedd a'r baeau ar eu harfordiroedd. Yr oedd map o Ewrob ar y pared ar law chwith desg y prifathro a byddai yntau yn rhoi prawf arnom yn rheolaidd i fesur ein gwybodaeth o'r ffeithiau amdano. Ei ddull fyddai ein gosod i sefyll yn hanner cylch, a'n holi fesul un gan bwyntio â'i gansen at fannau arbennig ar y map, rhyw ddinas, neu fynydd neu afon neu benrhyn a disgwyl i ninnau ddweud yr enw. Cofier, yr oedd y map yn rhy fychan a ninnau'n sefyll yn rhy bell i ni fedru darllen yr ateb – yr oedd yn rhaid ei gofio. Os methai disgybl ag ateb, âi'r athro ymlaen at y nesaf, ac os methai yntau at y nesaf wedyn nes cael ateb cywir. Yna symudai'r atebwr hwnnw i fyny yn y rheng o flaen pob un oedd wedi methu a'r rheini yn symud i lawr i wneud lle iddo. Yna ail-ddechrau yn y fan yr oedd wedi stopio, pwyntio at enw arall, a thrwy'r un broses drachefn. Y canlyniad yn y diwedd oedd bod y rhai mwyaf breit ohonom, neu o leiaf y rhai mwyaf cofus, yn 'tuedd-bennu' at dop y rhes, a'r rhai llai talentog yn mynd yn eu pwysau i'r gwaelod. Gwendid mawr y drefn oedd nad oedd hi ddim yn symbylu y sawl oedd fwyaf mewn angen symbyliad. Gan mai 'run rhai oedd ar y gwaelod yn gyson, y canlyniad yn y pen draw oedd lladd pob awydd ynddynt am wella, a'u gyrru i setlo i lawr yn swrth, heb uchelgais na gobaith.

Cyn gadael y rhestrau enwau hyn y byddem yn eu dysgu ar gof, efallai y caf roddi un enghraifft sydd wedi glynu yn fy nghof byth. Rhestr oedd hi o'r copaon yn y rhes fynyddoedd honno yn Lloegr a elwir y 'Pennine Chain' ('the backbone of England' meddai'r sgŵl wrthym, y'i gelwid). Y funud hon gallaf gofio lleisiau Standard V yn un côr yn llafarganu enwau'r mynyddoedd yn eu trefn, gan ddechrau yn y gogledd: *'Scafell, Bowfell, Whernside, Ingleborough, Penyghent, – and the PEAK!'* a gorffen efo rhyw wawch fain ar nodyn uwch na'r gweddill.

Anghofiais grybwyll y byddem yn is i lawr yn yr ysgol yn dysgu ar lafar ddiffiniadau o wahanol ffurfiau daearyddol fel ynys, gorynys, penrhyn, culfor ac yn y blaen. Yn Saesneg, wrth gwrs, yr oeddem ni yn delio â hwy. Byddai siartiau ar y wal a deiagram yn darlunio pob term a diffiniad otano. Ein gwaith ni oedd dysgu'r diffiniadau, a hynny trwy eu cyd-ddweud (neu'n hytrach eu cyd-weiddi) y naill ar ôl y llall ar dop ein lleisiau.

A rhyfedd ac ofnadwy oedd y ffordd y byddem yn ynganu ambell frawddeg. Nid oedd y diffiniad o ynys yn peri llawer o drafferth: *'An island is a piece of land entirely surrounded by water'*, na *'peninsula'* chwaith: *'A peninsula is a piece of land nearly surrounded by water'*. Yr oedd *'volcano'* yn anos i'w drin: *'A volcano is a mountain which belches forth fire, smoke, ashes and lava'*. Yn y 'lafa' yr oedd rhai ohonom yn tueddu i fynd yn sownd. O hyd ac o hyd mynnai rhywrai sôn (ar dop ein lleisiau) am *'fire, smoke, ashes and fala'*.

Ond wrth ddiffinio *'isthmus'* yr oeddem yn gwneud y llanast mwyaf gogoneddus. Yr hyn yr oeddem *i fod* i'w ddweud oedd: *'An isthmus is a narrow neck of land joining two larger portions'* ond rhywbeth tebycach i hyn a floeddiem mewn gorfoledd: *'An ithmus is a narra nec-a-lan joining two laja poja'*. Ar fy ngwir!

A rwan a ga'i orffen yr ymdriniaeth yma ar *'Geography'* yn Ysgol y Llan, stalwm, trwy drosglwyddo i chi yn ei grynswth un telpyn o wybodaeth a dderbyniais i yn nosbarth ac o enau Mr Henry Barnwell naw a thrigain o flynyddoedd yn ôl. Dyma fo, yn crynhoi gwybodaeth fuddiol am ddinas Oporto:

Oporto is an important port in Portugal exporting port wine.

Treuliem gryn gyfran o'n hamser yn dysgu ysgrifennu, hynny yw, y grefft o ysgrifennu â phin dur. Yr offer at y pwrpas oedd *'copy book'*. Fe gofia llawer o'r to hŷn am y llyfrau hynny, llyfrau a brawddegau wedi eu sgrifennu ar ben pob tudalen mewn coparplât, er mwyn i'r prentis o lawysgrifwr eu hefelychu, gan wneud copi ar ôl copi at waelod y ddalen. Diarhebion neu gynghorion buddiol fyddai'r brawddegau, 'Honesty is the best policy.' 'Waste not, want not.' 'Silence is golden.' Pethau fel yna. Diamau fod y sawl a gynlluniodd y copi-bwcs yn amcanu at ladd dau dderyn ag un ergyd – nid yn unig dysgu inni sgrifennu yn weddol ddestlus, ond ar yr un pryd stwffio i'n pennau a'n clonnau ni nifer o wersi moesol hefyd. Mae'n siŵr fod gwir angen am y gwersi, ond a lwyddodd y copi-bwcs i'n cael i'w derbyn, mae'n amheus iawn gennyf. Ac nid bob tro, a dweud y lleiaf, y llwyddasant yn eu priod bwrpas o feithrin llawysgrifen dwt, er y gwn am nifer go dda o'm cyd-ddisgyblion gynt yr oedd eu hysgrifen yn batrwm o geinder taclus. At ei gilydd dim ond rhannol oedd llwyddiant y dull, ac yn f'achos i methiant truan ydoedd.

Y drwg efo'r sustem wrth gwrs oedd hyn, po bellaf y byddech yn symud oddi wrth y llinell batrwm annhebycaf iddi y byddai'ch sgrifen chithau'n mynd. Ac yr oedd y rheswm am hynny'n amlwg: y duedd naturiol oedd efelychu'r llinell yn union uwchben bob tro, a'ch ysgrifen hi eich hun oedd honno, a hithau'n dirywio bob gafael. Nid rhyfedd bod mwy nag un pregethwr erioed wrth draethu ar ran olaf 1 Pedr 2.21, wedi gwneud mawr ddefnydd o gyffelybiaeth y *top lein.*

Sut bynnag, fel yr awgrymais, ni chafodd y copi-bwcs fawr o effaith llesol arnaf i. Pan oeddwn yn gadael Ysgol Llangernyw (a dealler nad wyf o gwbl yn beio'r ysgol yn hyn o beth) gennyf i, y tu hwnt i bob amheuaeth, yr oedd yr ysgrifen fleraf a mwyaf anolygus o bawb yn y fro. Nid nad oedd hi'n weddol ddealladwy, rwy'n credu, ond yr oedd yn ddolur llygad i bob darllenwr, hyd yn oed i mi fy hun. Ac felly y parhaodd – drwy ddyddiau ysgol uwchradd a phrifysgol, ac yn wir nes euthum fy hunan i ddysgu plant. Yr adeg honno bu'n *rhaid* imi wella fy llawysgrifen: hynny, neu gael y sac.

Cyn belled ag y mae a wnelo gwersi *darllen* (a chadw mewn cof o hyd mai ystyr hynny yn yr ysgol oedd darllen Saesneg), cawsom ddifai hyfforddiant yn y grefft honno. Pob clod i'n hathrawon, o fewn yr adnoddau oedd yn eu cyrraedd gwnaethant waith da ar gael y rhan fwyaf o'u disgyblion i fedru, a llawer ohonynt i fwynhau, darllen. Digon prin oedd y llyfrau at eu gwasanaeth. Yn nosbarthiadau isaf yr 'ysgol fawr' y mae gennyf gof go fyw am un llyfr dosbarth. Llyfr â chloriau coch oedd hwnnw, a'r prif gymeriad ynddo oedd hogyn o'r enw John Ross. Yr oedd wedi ei fwriadu, mae'n debyg, i fod yn batrwm o ymarweddiad i ni'r plant. Yr oedd yn gas gen i'r bachgen, a dyma deimlad pawb ohonom rwy'n credu. Yr oedd yn rhy berffaith, yn boenus o rinweddol, yn anniddorol dda. Mewn llyfr arall, un câs brown, yr oedd cymeriad tra gwahanol. Yr oedd hwnnw hefyd wedi ei fwriadu i fod er ein hadeiladaeth; ond nid fel patrwm i'w ddilyn ond fel rhybudd o beth i'w osgoi. Ei enw oedd Solomon Slow – hogyn diog, di-egni, heb fod yn rhy barod i fore-godi. Yn ddistaw bach, yr oedd gen i gryn dipyn o gydymdeimlad efo Solomon Slow – yr oedd yn fwy wrth fodd fy nghalon i na'r John Ross bondigrybwyll. Fel un oedd wedi cael y gansen ddegau o weithiau am gyrraedd yr ysgol yn hwyr, yr oeddwn yn ei gael yn enaid hoff cytûn. Pa ryfedd fy mod yn cofio'n glir y funud yma y llun ohono ar un tudalen o'r llyfr, yn chwifio'i ddwylo'n ddiobaith i drio tynnu sylw'r goets fawr yr oedd i fod i'w dal, ond a oedd yn prysur ddiflannu o'r golwg yn y pellter.

O ystyried ein bod ni blant y Llan a'r cylch wedi cael ein haddysg foreol yng nghysgod llythrennol yr eglwys a'r fynwent fe ddylsem ni fod wedi tyfu'n fodau dwys ystyriol a sobor gyfrifol ein hymarweddiad. Ond mae arnaf ofn mai ychydig iawn, os neb ohonom, y bu hynny'n wir yn ein hanes.

I'r gwrthwyneb yn wir. Rwy'n cofio enghraifft nodedig o anystyriaeth remp ar ein rhan ni. Yr oedd wedi bod yn dymor maith o wlybaniaeth, ac y mae'n debyg mai hynny a barodd i ran o dir y fynwent ymddatod a llithro i lawr yr ochr serth i iard yr ysgol a dwyn ysgerbwd neu ddau, hynafol iawn, i'w ganlyn. Cyn pen dim o amser yr oedd rhai o'r bechgyn hynaf wedi gweld eu cyfle i gael gafael yn rhai o'r esgyrn dynol yma, a'u cyhwfan uwch ben y genethod nes peri i'r rheiny fynd i sterics bron. Gwaeth na hynny, yr oedd mintai arall wedi cydio mewn penglog ac yn chwarae â hi mewn math o gêm rygbi gyntefig ar draws yr iard. Ond fe ddigwyddodd i'r Prifathro weld yr hyn oedd yn mynd ymlaen a daeth y chwarae i derfyn disymwth. Cafodd y pechaduriaid pennaf ddos hael o'r gansen, a'r gweddill ohonom araith ddeifiol ar ein hymddygiad anweddaidd.

Yn y flwyddyn 1920 mi sefais yr arholiad i gael mynd yn rhad i'r ysgol uwchradd – 'trio'r sgolarship' oedd y term am y peth yr adeg honno.

Yr oedd arholiad y 'sgolarship' yn Sir Ddinbych yn dipyn o fusnes y pryd hwnnw. Yn ein cylch ni, yn yr Ysgol Sir, Llanrwst, y cynhelid hi, ac yr oedd yn arholiad mewn chwech o bynciau – English, Arithmetic, Algebra, History, Geography, General Knowledge or Welsh (ac i blant Llangernyw, nid oes angen dweud, y dewis oedd General Knowledge). Parhâi'r arholiad am ddeuddydd, dydd Iau a dydd Gwener. Oherwydd pellter ffordd ac anghyfleusdra teithio yr oedd yn rhaid imi dreulio noson yn Llanrwst, y tro cyntaf imi gysgu oddi cartref erioed.

Yn Nhrosafon, gyferbyn â'r Post, y cefais lety, dan ofal caredig Mrs Davies, gwraig o Wytherin yn wreiddiol. Gyda llaw, bu Trebor Mai yn byw ryw dro yn Nhrosafon, er na wyddwn i mo hynny ar y pryd.

I ddod yn ôl at yr arholiad, y papur olaf oedd gennyf i'w ateb, ar ddiwedd yr ail brynhawn oedd y *General Knowledge or Welsh*'. Y cwestiynau ar wybodaeth gyffredinol yr oeddwn i i'w hateb, ac ar eu cyfer hwy yr oeddwn wedi paratoi ar hyd y flwyddyn. Mi ddigwyddais fwrw golwg ar y papur Cymraeg (o edrych yn ôl y mae'n debyg mai dyma'r tro cyntaf imi gael ar ddeall bod papur felly yn bod). Meddyliais y gallwn ei ateb yn llawn gwell na'r llall. A dyna a wneuthum.

Pan euthum yn ôl i'r ysgol y bore Llun dilynol ac i'r prifathro ddarganfod yr hyn a wneuthum, fe gollodd ei limpin yn lân, ac ni siaradodd air â mi am dridiau neu bedwar. Chwarae teg iddo; mae'n siŵr ei fod yn gweld hynny o siawns oedd gennyf i ennill ysgoloriaeth wedi mynd i'r gwellt.

Toc, cyhoeddwyd canlyniadau'r arholiad. Yr adeg honno yr oedd modd i brifathrawon gael gwybod nid yn unig beth oedd safle pob ymgeisydd, a chyfanswm y marciau a enillodd, ond hefyd beth oedd y marciau ym mhob pwnc. Yr oedd fy mrawd J.T. y pryd hwnnw yn canlyn merch D.J. Williams, prifathro'r Ysgol Gyngor yn Llanrwst (fe'i priododd hefyd yn nes ymlaen) a thrwy D.J. Williams fe gafodd wybod fy marciau. Mi basiais – ond dim ond â chroen fy nannedd. Myfi oedd yr olaf ar y rhestr i gael 'sgolarship' y flwyddyn honno.

Y pwynt diddorol yw hwn. Oni bai fy mod o'm pen a'm pastwn

fy hun, wedi cymryd papur nad oeddwn i ddim i fod i'w gymryd, wedi methu y buaswn i, oherwydd yr oeddwn wedi cael mwy o farciau yn Gymraeg nac yn un pwnc arall.

Diolch unwaith eto i'r aelwyd gartref ac i'r Ysgol Sul.

Ddiwedd tymor yr haf 1920 ffarweliais â hen Ysgol y Llan. Ni fûm â'm troed yn yr hen adeilad wedyn hyd haf 1981, pan euthum yno ar wahoddiad i annerch cyfarfod o Gymdeithas Hanes Sir Ddinbych.

Ysgol Llanrwst

O hyn ymlaen yr oedd tref Llanrwst i gyfrif llawn cymaint yn fy mywyd â'm bro enedigol. Hwyrach, felly, y byddai hwn yn fwlch cyfleus imi gofnodi rhai atgofion am yr hen dref yng nghyfnod fy mhlentyndod. Soniais am f'ymweliad â hi adeg arholiad y 'sgolarship'. Nid hwnnw oedd f'ymweliad cyntaf. Yr oeddwn wedi bod yno rai gweithiau cyn hynny, a hynny bob tro yng nghwmni Mam, ar ddiwrnod ffair neu farchnad.

Yr oedd y rheini'n hen hen sefydliadau – y farchnad yn cael ei chynnal ar ddydd Mawrth bob wythnos, oddi eithr pan fyddai ffair. Cynhelid honno unwaith yn y mis ar y dydd Mercher ar ôl y dydd Mawrth cyntaf o bob mis. Mae'r ffeiriau a'r marchnadoedd yn parhau mewn bod er nad oes bellach agos gymaint bri arnynt ag yn y dyddiau gynt. Yr amser y soniaf amdano cyrchai pobl iddynt, yn arbennig i'r ffeiriau, wrth y cannoedd o'r wlad amaethyddol oddi amgylch. Deuai'r ffermwyr a'u gwragedd yna mewn cerbydau (po fwyaf cefnog yr amaethwr crandiaf yn y byd ei gerbyd a smartiaf yn y byd ei anifail a'i gêr). Darparai tafarnau'r dref gyfleusterau stablu a phorthi. (Nid oedd oes y modur ond megis ar y gorwel.)

Am y dosbarth gweithiol ar y trên ddau y teithient hwy i'r dref pan fyddai galw – o leiaf y gwragedd, oblegid nid yn aml y gallai'r gwŷr fforddio colli diwrnod o gyflog i fynd i na ffair na marchnad.

Cerdded yno y byddai Mam, pedair milltir ar ddeg o daith, rhwng mynd a dod, a cherdded a wnawn innau i'w chanlyn. Caf egluro yn y munud pam yr oeddwn yn cael cennad i golli'r ysgol i fynd gyda hi i'r dref.

Rhwng chwech a saith oed oedd f'oedran pan wneuthum y siwrnai honno gyntaf ac antur fawr ydoedd. Ac er y byddwn, erbyn cyrraedd yn ôl gartref, bron yn rhy flinedig i roi'r naill droed heibio i'r llall, buan yr anghofiwn y lludded. Pan ddeuai'r siawns nesaf i 'fynd i'r dre' yr oeddwn yn gwbl barod i'w chychwyn hi drachefn. Un atyniad yn y dref wrth gwrs oedd y siopau 'mawr' ac amrywiol oedd yno. (Dim ond ar ddiwrnod trip yr Ysgol Sul i'r Rhyl y cawn gyfle i weld rhyfeddodau mwy yn y lein honno.) Nid siopau 'gwerthu pob peth', fel Siop Bach a Siop Fawr Llangernyw oedd rhai'r dref, ond siopau arbenigol - siopau bwydydd, siopau cig, siopau ffrwythau, hyd yn oed siopau'n gwerthu dim ond da-da a baco a sigaréts. (Nid 'da-da' oedd gair Llangernyw am felysion, gyda llaw, ond 'fferins'. Deallais toc mai 'meincieg' a ddywedai trigolion Penmachno amdanynt.)

Yr oedd hefyd dair neu bedair o siopau barbwr, yn torri gwalltiau, ac eillio barfau, *dynion*, wrth gwrs. Yr oedd siopau at drin gwalltiau merched yn bethau cwbl anhygoel yr adeg honno! Tra byddwn yn sôn am y pwnc hwn, tybed a fydd yn syn gennych glywed na welais i erioed du mewn siop barbwr, nes imi fynd yn fyfyriwr i Fangor, ac nid cyn i'm gwallt fynd yn gywilydd i'w weld ac yn bwnc sylwadau edmygus fy nghydefrydwyr y mentrais i mewn i'r un ohonynt. Gartref, fy 'Nhad neu un o'm brodyr a fyddai'n arfer cadw fy ngwallt o fewn terfynau.

Rhaid imi beidio ag anghofio crybwyll y tair siop sadler oedd yn y dref yr adeg honno – math arall o siop a beidiodd â bod bellach. Yr oedd i'r siopau hyn eu haroglau arbennig – aroglau lledr. Gwerthent gyfrwyau, gêr ceffylau, offer lledr o bob math at waith ffarm, heblaw pethau fel trapiau llygod a thyrchod daear, a chrogai yn eu ffenestri stoc helaeth o faglau (wedi eu gwneud o weiar felen) at ddal cwningod.

Mwy deniadol i mi y pryd hwnnw na'r siopau a enwais uchod oedd y rhai lle gwerthid teganau a llyfrau. Yr oedd siop yn Watling Street, tua'r fan lle saif siop Bys a Bawd heddiw, a adnabyddid am ryw reswm wrth yr enw 'Siop Chwech-a-dimai. Teganau oedd prif farsiandiaeth honno, a byddwn wrth fy modd yn rhythu yn ei ffenestr. Peth arall oedd mynd i mewn iddi – ni allem fforddio teganau pryn yn ein tŷ ni. Gwerthid teganau hefyd, ryw nifer, mewn tair siop arall, siopau'n gwerthu'n bennaf bapurau newydd dyddiol ac wythnosol, cylchgronau, 'comics' Saesneg yn ogytal â nwyddau amrywiol fel papur sgrifennu, nodlyfrau, celfi sgrifennu o bob math, a thaclau pysgota (cofier fod Llanrwst ar fin afon Conwy!). Fel atodiad i'r amrywiaeth hwn gwerthid rhai mân lyfrau, llyfrau plant gan mwyaf, ac ambell un o'r rheini yn Gymraeg.

Yn un o'r siopau hyn, siop Tan y Pendist, ar gongl y ffordd gul sy'n arwain o'r sgwâr at borth yr hen eglwys, y prynais fy llyfr cyntaf. Lliain meddal oedd ei glawr, glas oedd ei liw, pedair ceiniog oedd ei bris, a'i deitl oedd *Esgidiau Harri*. Ar y clawr, gyda llaw, yr oedd llun bachgen bach yn ymdrochi yn y môr – a 'dyn drwg' wrthi'n dwyn esgidiau'r ymdrochwr o'r fan lle gadawsai ei ddillad tu ôl i greigell ar y lan!

Cofiaf ddarllen y llyfr wrth gerdded adref dow-dow efo Mam, a'm bod wedi ei orffen pan oeddem yn cyrraedd ar gyfer giât ffarm y Cerniach, ryw filltir uwch na phentre Tafarnyfedw.

O ble y daeth y grôt i dalu am y llyfr? Un o fanteision mynd i'r ffair oedd cyfarfod cydnabod a pherthnasau na welech monynt o bosib ond anaml. Digwyddai hynny i Mam, a byddai ambell un (chwarae teg i'w galon) yn rhoi dimai neu geiniog i'r 'hogyn bach'. Y diwrnod hwnnw yr oeddwn wedi bod yn ffodus ac wedi derbyn, o wahanol ffynonellau, gyfanswm o dair-a-dimai. Yr arfer yn ein tŷ ni oedd bod pob arian a dderbyniem felly yn mynd i goffrau'r teulu. Y diwrnod hwnnw torrwyd y rheol. Ychwanegodd Mam ddimai o'i phrinder at y swm, i'w orffen yn rôt, er mwyn imi gael prynu *Esgidiau Harri*. Pe bawn wedi chwennych da-da neu degan, prin y buasai hi wedi hepgor y ddimai. Ond yr oedd llyfr yn wahanol.

Yn y ffeiriau'r pryd hynny, mi gofiaf y byddai gwartheg yn cael eu gwerthu yn Stryd Ddinbych – rhwng ceg Heol Watling a'r fan gyferbyn â'r lle y saif Cartref Dolanog heddiw. (Y pryd hynny, ac yn hir wedyn, yr oedd rhes solet o dai a siopau yn rhedeg rhwng ceg Stryd y Plow a Phont y Lein.)

Mae gennyf syniad y byddai ceffylau'n cael eu gwerthu yno hefyd ar dro, ond nid wyf yn siŵr ar y pwnc hwnnw.

Yn Ffordd y Stesion, ar yr un ochr â'r Post, rhwng y Post a'r lle mae Cartref Bryn Seion heddiw, byddai troliau moch yn cael eu gosod (wedi dadfachu'r ceffylau o'r llorpiau a mynd â hwy i'w stablu yng nghefn y King's Head neu'r Albion neu rywle cyffelyb). Yno y byddai'r moch, a rhwydi trostynt i'w cadw rhag dianc, a pherchnogion y moch a chwsmeriaid posibl yn sefyll gerllaw ac yn dadlau eu gorau am bris. Mae'r hen fasnach wedi diflannu ers stalwm, ond y mae ambell un o'r hen bobl o hyd yn dal i alw'r stryd yn 'Stryd y Moch'.

I'r stafell o dan yr hen Neuadd (y 'Town Hall') byddai gwragedd o'r wlad oddi amgylch yn dod ag ymenyn ac wyau a ffowls i'w gwerthu ar ddyddiau ffair a marchnad. Byddai Mam ambell dro wedi magu a phesgi cywion ac eisiau mynd â hwy i'r dref i'w gwerthu. Bûm innau droeon yn mynd efo hi i'w helpu. Ei helpu, yn un peth, i gludo'r cywion, y rheini mewn basged a'u traed wedi eu clymu fesul cwpl (dyna'r dull y pryd hwnnw).

Ond help pwysicach na hynny oedd cynorthwyo i ddehongli rhwng Mam a'i chwsmeriaid. Ac yma y down at y rheswm pam y cawn i ganiatâd i golli'r ysgol i fynd i ambell ffair a marchnad yn Llanrwst. Yr oedd Mam er pan oedd yn bur ifanc wedi colli ei chlyw. Nid wyf i'n ei chofio ond yn gwbl fyddar. Gartref byddai 'Nhad a ninnau blant yn cyfathrebu â hi mewn gwahanol ddulliau. Byddai'n medru deall ein sgwrs i fesur drwy ddarllen ein gwefusau. Rhywbeth mwy cymhleth na'i gilydd, byddem yn ei sgrifennu iddi ar bapur. ond y ffordd a arferem amlaf oedd sbelio'r neges fesul llythyren â bys ar gledr ei llaw. O hir arfer deuem i ddeall ein gilydd mewn byr o dro, yn enwedig gan ei bod hi gan amlaf yn medru dyfalu'r gair a sgrifennid wedi teimlo ar ei llaw ddwy neu dair llythyren ohono. Mantais y dull hwn oedd y gellid ei ddefnyddio oddi mewn i'r tŷ neu oddi allan, ac yn y nos fel yn y dydd. Cofiaf yn fyw iawn fel y byddai Mam a minnau'n cyd-gerdded law-yn-llaw adref o'r capel ar nos Sul o aeaf gan 'sgwrsio'n' hapus bob cam. (Ni rwystrodd ei byddardod fy mam rhag dilyn oedfaon y Sul yn gyson hyd ddiwedd ei hoes er na chlywai air o ddechrau'r gwasanaeth i'w derfyn. Rhyfeddod oedd ei sirioldeb parhaus er gwaethaf ei hanfantais.) O gwmpas cartre ac ymhlith cydnabod medrai Mam ymdaro'n burion hyd yn oed os na byddai un ohonom ni blant wrth law i ddehongli. Ond mewn lle dieithr a chyda phobl ddieithr yr oedd yn rhaid iddi wrth ladmerydd, ac fe ddaeth i'm rhan i, yn gynnar iawn ar f'oes, i gyflawni'r gwaith mewn llawer man a llawer sefyllfa. Cofiaf, er

*Teulu Bronrhwylfa (tua 1908) O'r chwith i'r dde: Ifan, Owen Jones (tad), Lisi, Kitty,
Elizabeth Jones (mam), Robert Ellis (y babi), Owen (Now).
Nid yw'r brawd hynaf, sef JT Jones, yn y llun*

Ysgol "Llangerniew" – cerdyn post a anfonwyd yn 1903

Ysgol Llangernyw (oddeutu 1917). Dosbarthiadau Standard III a IV
RE Jones yw yr olaf ar y dde yn y rhes uchaf

Ysgol Ramadeg Llanrwst (oddeutu 1920-21)
RE Jones yw'r cyntaf ar y chwith yn y rhes uchaf

Ysgol Ramadeg Llanrwst (oddeutu 1924-25)
RE Jones yw'r ail o'r chwith yn y rhes gefn

Yn y chweched dosbarth yn Ysgol Ramadeg Llanrwst.

51

Ysgol Talybont (1937)
Dosbarth RE Jones

Athrawon Ysgol Talybont (1937)

Darlun pen-ag-inc o Rhwng y
Ddwyffordd, Llangernyw, a wnaethpwyd
gan JT Jones

Ysgol Talybont (1936). Dosbarth RE Jones
(Mae'r llun yma wedi ei gyhoeddi yn Hen Luniau Dyffryn Conwy,1987)

Ysgol Cwm Penmachno (1950)
Dosbarth RE Jones
Rhes gefn (chwith i'r dde):
Betsan Jones, Agnes Jones,
Anne Bennett, Nesta Owen,
Margaret Sulwen Owen Rhes
flaen: Billy Morris, William
John Roberts,
RE Jones, Brian Evans, Ieuan
Roberts

Darlledu "Ymryson y Beridd" o'r stiwdio ym Mangor
O'r chwith i'r dde: Ifan O Williams, OM Lloyd, RE Jones, Huw Llewelyn Williams,
Ithel Williams

Darlledu "Pawb yn ei Dro"

Darlledu "Pawb yn ei Dro"

Y tu allan i'r Babell Len
O'r chwith i'r dde: John Evans, Ithel Williams, Trebor Roberts, RE Jones

RE Jones (1926)

RE Jones ar y chwith (Rydym yn cymryd
mai pel griced sydd ganddo yn ei law –
ond dim syniad pam na phryd)

Cymdeithas Ddrama Gymraeg Coleg Bangor (oddeutu 1927-29)
RE Jones olaf ar y chwith yn y rhes ganol

Swyddogion Gwersyll Bechgyn (1930)
(Mwy na thebyg gwersyll Urdd Gobaith Cymru ym Mhlas Tyndwr ger Llangollen)
RE Jones yw'r trydydd o'r dde yn y rhes flaen

Cyngor Myfyrwyr Coleg y Gogledd, Bangor (1930-31)
Llywydd – RE Jones, BA (yn eistedd yn y rhes flaen gyda rhuban am ei wddf)
Is-Lywydd – Annie E Jones, BA (Humphries wedyn)
Ysgrifenyddion – Marjorie E Williams, BSc, a Trebor Lloyd Evans, BA
Trysorydd – G Jones Henry, BA

PLAID CYMRU

R. E. JONES

Yng Nghastell Caernarfon (1936)
O'r chwith: RE Jones, Eirian, JE Jones, a
Jim Parry

APEL AT SOSIALWYR

Annwyl gyfaill,

'Rwy'n cyfeirio'r apêl hon atoch fel Sosialydd gan ofyn i chwi ystyried rhoi eich ffet y tro yma i Blaid Cymru, a hynny fel Sosialydd.

Ni ddywn cefnogi Plaid Cymru nad bod yn ymwrthod â'ch Sosialaeth. Y mae miloedd o Sosialwyr eisiog yn ein mudiad ni, ac nid oes dim yn rhaglen gymdeithasol Plaid Cymru na all pob Sosialydd ei gefnogi.

Yn wir, mewn rhai pethau yr ydym yn nes at draddodiad gwreiddiol y Sosialwyr Cymreig na'r Blaid Lafur. Safwn, er enghraifft, dros gymdwyno'r ngwyddor gydweithredol at y rhan helaethaf o fywyd economaidd ein gwlad. Condemniwn gyfalafiaeth, ond ni chredwn mewn trosglwyddo diwydiannau a gwasanaethau i ddwylo byrddau biwrocrataidd. Yn lle hynny credwn y dylid rhoi pob diwydiant dan reolaeth weithredol y gweithwyr eu hunain, yn y diwydiant hwnnw.

Y SYSTEM FRYDAESODOL, Safwn ni—nid dros ei dinrwygio, fel y Blaid Lafur Seisnig—ond dros ei diwygio, am na fu'r drefn anghyfiawn erioed yn rhan o gyfraith nac arfer Gymreig. Peth a ddaeth o Loegr ydyw gyda'r Ddeddf Uno.

A gaf fi ahw'ch sylw at bwynt arall.

Am hanner cant mlynedd bu mwyafrif mawr pobl Cymru yn ffafrio cael Llywodraeth Lafur. Ond dim ond unwaith am gyfnod byr (1945-51) y cafodd Cymru lywodraeth Sosialaidd (gyda gwir sêl) yn ôl ei dymuniad. Pe bai amcan Plaid Cymru, sef Hunan-lywodraeth Gymreig, wedi ei sylweddoli ar ôl y Rhyfel Byd cyntaf—byddai'r Cymry wedi cael Llywodraeth Sosialaidd yn ddi-fwlch am hynny. Yr hyn a gawsent oedd Llywodraeth Dorïaidd bron drwy'r cyfnod, am nad dyna a fynnai Lloegr.

Ond ydyw'n syn meddwl ? Pe bai Sosialwyr Cymru wedi cefnogi Plaid Cymru yn y gorffennol byddai wedi cael Llywodraeth Lafur ers blynyddoedd lawer. Yn lle hynny, wrth gefnogi'r Blaid Lafur, y maent wedi gwneud yn sicr eu bod yn cael eu llywodraethu gan y Torïaid bron yn ddi-dor !

Tybed na ddaeth yr amser i Sosialwyr Cymru ddilyn esiampl Sosialwyr gwledydd bach eraill ?

Y patrymau a roesom ni yn Mhlaid Cymru bob amser o'n blaenau fel esiamplau o hunan-lywodraeth lwyr yw gwledydd bach, fel New Zealand a gwledydd Sgandinafia—gwledydd a oedd fel Cymru'n credu mewn Sosialaeth, ond a oedd yn wahanol i hynny yn wledydd rhydd ac felly yn medru rhoi eu Sosialaeth mewn gweithrediad trwy eu seneddau eu hunain.

Oni chredwch mai dyna'r llwybr cyntaf i Gymru hefyd i gymdeithas a threfn o'r fath sy'n agos at ein calon chwithau.

Os felly, mi hoffwn bwyso arnoch y tro yma i roi eich ffet—nid i mi'n bersonol—ond i'r hyn y safaf trosto, sef Plaid Cymru, yr unig blaid sydd am roi bywyd Cymru yn ôl i gadw ein, hobl Cymru.

 Yn gywir,

R. E. JONES

(Ymgeisydd PLAID CYMRU)

Cyhoeddwyd - Rich Jones, Swyddfa'r Blaid, Llên Llinfarch, Caernarfon.   Argraffwyd - Jones, Rhyl.

Staff Ysgol Dolbadarn, Llanberis

Llun a dynnwyd pan oedd RE Jones yn sefyll etholiad yn Arfon

Beirdd yr Ymryson yn yr Eisteddfod Genedlaethol – Timau Arfon, Mon a Sir Aberteifi
gyda Sam Jones, Cynhyrchydd BBC, Laura Jones ei ysgrifenyddes, Ifan O Williams
cyflwynydd y rhaglen, a Meuryn y beirniad

Tim Ymryson y Beirdd Arfon yn y pumdegau cynnar
O'r chwith i'r dde: RE Jones, Ithel Williams, Trebor Roberts, John Evans

Tri brawd yn 1969 yng nghefn Blaenddol, Ffordd yr Orsaf, Llanrwst (cartref Owen Jones) O'r chwith i'r dde: Owen (Now) Jones, RE Jones, JT Jones, gyda Dafydd (mab JT Jones) a'i fab yntau y tu ol iddynt

Yn Eisteddfod Llanbed
RE Jones ar y dde, gyda'r Parchedig Huw Jones yn y canol

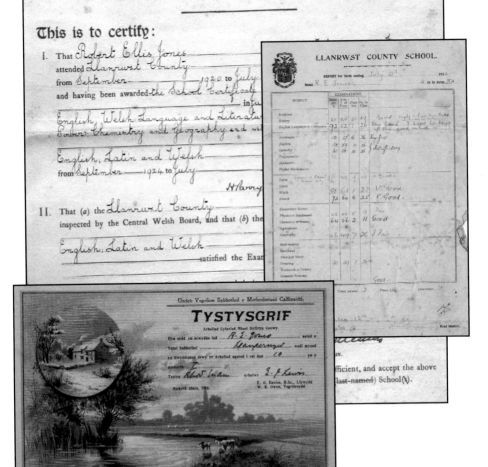

Rhai o dystysgrifau cynnar R.E.

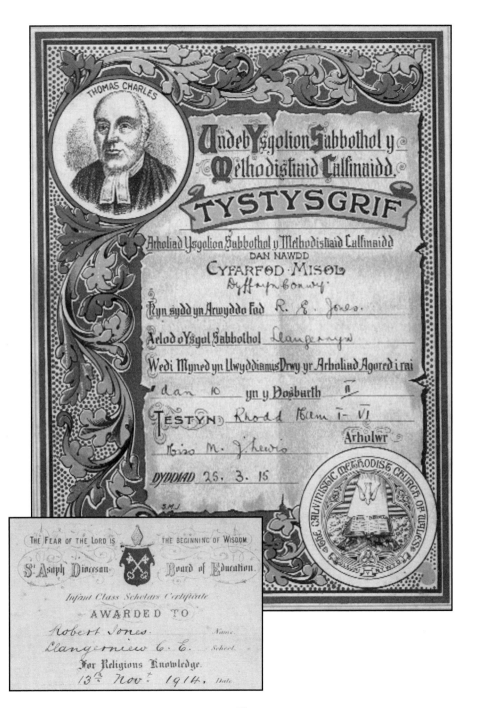

THOMAS CHARLES

Undeb Ysgolion Sabbothol y Methodistiaid Calfinaidd.

TYSTYSGRIF

Arholiad Ysgolion Sabbothol y Methodistiaid Calfinaidd

DAN NAWDD

CYFARFOD · MISOL

Dyffryn Conwy.

Hyn sydd yn Arwyddo fod   R. E. Jones.

Aelod o Ysgol Sabbothol   Llangerrnyw

Wedi Myned yn Llwyddiannus Drwy yr Arholiad Agored i rai

dan   10   yn y Dosbarth   II

TESTYN   Rhodd Ras I - VI

Miss M. J. Lewis   Arholwr

DYDDIAD   25. 3. 15

S.M.J.

THE FEAR OF THE LORD IS   THE BEGINNING OF WISDOM.

St Asaph Diocesan   Board of Education.

Infant Class Scholars Certificate

AWARDED TO

Robert Jones.   Name.
Llangerniew C. E.   School.

For Religious Knowledge.

13ᵗʰ Novʳ 1914.   Date

RE Jones yn ymyl Capel Rhyd-y-meirch, Cwm Penmachno

Llun a dynnwyd ar achlysur dadorchuddio cofeb i RE Jones yn Ysgol Llangernyw yn 1994. Mrs Beryl V Jones gyda Mr OM Roberts

enghraifft, gerdded gyda Mam i Gwydir Uchaf (lle mae swyddfa'r Comisiwn Coedwigaeth yn awr) ar ben y llechwedd serth, gyferbyn â Chastell Gwydir ar yr hen ffordd i Fetws-y-coed. Yng Ngwydir Uchaf y pryd hwnnw yr oedd swyddfa'r diweddar Thomas Griffith, a weithredai fel asiant i Stad Ancaster, ac a oedd hefyd yn Glerc Llywodraethwyr yr Ysgol Rad. Pwrpas ein hymweliad oedd gwneud cais am 'bursary' i'm brawd Owen er mwyn iddo gael mynediad rhad i'r ysgol. Wyth oed oeddwn ar y pryd, ac nid oedd y busnes dan sylw yn fusnes-pob-dydd a dweud y lleiaf. Llwyddais, sut bynnag, i gael Thomas Griffith a Mam i ddeall ei gilydd, a chafodd fy mrawd ei fyrsari. Ar ôl hynny, ar fwy nag un achlysur aeth Mr Griffith, bendith arno, allan o'i ffordd i fod yn garedig wrthyf.

I ddod yn ôl i'r ffair, mewn lle felly yr oedd digon o achlysuron o bob math i fod yn ddehonglydd – ar y stryd, yn y siopau, ac yn arbennig yn Seler yr Hen Neuadd wrth fargeinio uwchben basgedaid o gywion pasgedig. Rhaid addef mai job ddi-flas ar y naw i hogyn aflonydd oedd sefyll yno am allan o hydion yn disgwyl i Mam a rhyw ddelar neu'i gilydd gytuno ar bris – y fo am wasgu'r pris i lawr i'r 'leiff' a hithau yn dal ei gorau glas am ddimai neu geiniog chwaneg. Roedd pob dimai'n cyfrif yn ei chyllideb hi.

Ym mis Medi 1920 dechreuais fy nghyrfa yn y 'Cownti Sgŵl' yn Llanrwst – yr hen Ysgol Ramadeg yr oedd ei hanes yn mynd yn ôl i 1610, a'r lle am genedlaethau lawer, a defnyddio geiriau un o'i chynddisgyblion, Ieuan Glan Geirionydd,

Y pyncid cerddi Homer
A Virgil geinber gynt.

Yr oedd erbyn hyn wedi ei newid yn un o'r 'Ysgolion Sirol' a sefydlesid yn sgil y 'Welsh Intermediate Education Act 1899'. Ar diriogaeth Sir Ddinbych y safai, ond derbyniai hefyd ddisgyblion o Sir Gaernarfon, yr ochr arall i afon Conwy.

Gyda'r symudiad hwn yn fy hanes 'wele gwnaethpwyd pob peth yn newydd' – wel, bron bob peth. Ysgol newydd, athrawon newydd, pynciau newydd, ie, cyd-ddisgyblion newydd a'r rheini'n dod o ardaloedd pellennig fel Ysbyty Ifan, Dolwyddelan,

Capel Curig, Tal-y-bont, Glanconwy a'u tebyg.

Wrth reswm, mi wyddwn cyn hynny am *enwau'r* lleoedd hyn. Onid oeddwn, er pan oeddwn yn ddim o beth, yn cofio 'Nhad yn mynd i ffwrdd am rai wythnosau bob haf, a'i bladur ar ei gefn, i weithio yn y cynhaea' gwair? – i ffarm o'r enw Cerrigellgwm yn Ysbyty, i ffarm arall o'r enw'r Bertheos yn Nolwyddelan, i ffermydd y Rhos a Bryn Gefeiliau yng Nghapel Curig. Clywswn hefyd am ffarm yn ardal Tal-y-bont, yn dwyn yr enw od Y Rowlyn, lle'r aeth fy 'Nhad un tro i lafurio yn y cynhaeaf ŷd.

Ond rhyw enwau hud-a-lledrith ar leoedd ansylweddol yn y dychymyg oedd y rheini i mi tan 1920.

Yn awr, yn y 'Cownti' dyma gyfarfod â bechgyn (a genethod hefyd o ran hynny) – personau o gig a gwaed fel finnau, yn dod o'r mangreoedd anghyffwrdd hyn ac yn eu gwneud inni yn lleoedd 'go iawn'.

Heblaw plant y dref ei hun, deuai disgyblion yr Ysgol Sir o bob cyfeiriad o'r wlad oddi amgylch, a thrwy wahanol foddion. Teithiai rhai ar y trên, yn ôl a blaen, fore a hwyr, o ddau gwr Dyffryn Conwy. Felly gwnâi plant Glanconwy, Tal-y-cafn, Eglwysbach, Ty'n-y-groes, Y Ro-wen a Dolgarrog o un cyfeiriad ac o'r cyfeiriad arall plant Dolwyddelan a'r cyffiniau a phlant Betws-y-coed. Beicio neu gerdded a wnâi plant Maenan a Llanddoged a llawer o blant Trefriw yr un modd.

Am y rhai yr oedd yn rhy bell neu'n rhy anghyfleus iddynt fynd a dod i'w cartrefi bob dydd, fel plant Llangernyw, Gwytherin a Phandy Tudur yn Sir Ddinbych a phlant Pentrefoelas a'r cylch, Ysbyty Ifan, Penmachno a'r Cwm a Chapel Curig yn Sir Gaernarfon nid oedd dim amdani ond aros mewn lojins yn y dref o ddydd Llun tan bnawn dydd Gwener. Byddai nifer eithaf sylweddol yn gwneud hynny. Profiad go ddieithr oedd hwnnw, a gormod o brawf ar ambell blentyn hiraethus.

I ddosbarth y lojiwrs hyn yr oeddwn i'n perthyn, o leiaf am y pum mlynedd cyntaf o'r chwech a dreuliais yn y Cownti (y flwyddyn olaf, y flwyddyn y sefais arholiad yr *Higher* ar ei therfyn, awn yn ôl a blaen ar gefn beic, rhyw ddeng milltir o seiclo digon blinderus bob dydd ac ym mhob tywydd).

Talwn driswllt yr wythnos am fy llety, a hynny'n cynnwys os cofiaf yn iawn, heblaw gwely i gysgu, de i'w yfed a llefrith a siwgr i'w roi ynddo. Byddwn innau ar fy ffordd o'r ysgol ar bnawn Llun yn galw heibio i siop 'E.B.' (Jones) – wrth geg Willow Street, lle mae'r siop hen ddodrefn heddiw – i brynu torth, a hanner pwys o farjarîn ac o bryd i'w gilydd ambell bot o jam. A hynny a fyddai fy nghynhaliaeth am yr wythnos – gydag un eithriad pwysig. Erbyn i mi ddechrau yn y 'Cownti' yr oedd Miss A.E. Jones, yr Athrawes Gwaith Tŷ (bendith arni!) yn darparu cinio rhad ond maethlon bob dydd am dâl o ychydig geiniogau, cyn lleied â dwy geiniog y dydd am gyfnod. Nid oedd yn fyw helaethwych ond yr oedd yn ddigonol. Rwy'n ofni nad oeddwn ar y pryd yn sylweddoli treth mor drom ar adnoddau prin fy rhieni oedd talu amdano bob wythnos.

Y flwyddyn gyntaf lletywn efo Mr a Mrs R.M. Jones yn Nhŷ Capel Seion. Yr oedd gennyf ddau gyd-letywr, dau gymrawd o Ysgol Llangernyw, Wil y Stag ac Ifan Bryn Barcud. Caem ddwy ystafell fechan (bach) at ein gwasanaeth, un i weithio ac un i gysgu. Yr oedd y tri ohonom yn rhannu'r un gwely – fi yn y canol. Methodyn rhwng dau Eglwyswr, trefniant eithaf ecwmenaidd. Un anfantais (neu fantais, yn dibynnu ar eich safbwynt) o letya mewn tŷ capel oedd bod yn rhaid imi fynd i bob seiat a chwrdd gweddi yn rheolaidd (yr oedd fy nau gydymaith hefyd yn fynych dan yr un orfodaeth, profiad go ddeithr iddynt hwy. Erbyn meddwl, efallai mai Rhagluniaeth oedd yn gwastatáu pethau ac yn gwneud iawn imi am yr holl oriau o ddysgu'r Catecism yn Ysgol y Llan!).

Yr oedd ochr arall iddi hefyd. Yr oedd 'sosials' mewn bri y cyfnod hwnnw, a chynhelir sosial dan nawdd ryw gymdeithas neu'i gilydd yn 'festri fawr' Seion bob yn ail wythnos, os nad yn amlach. Bron yn ddieithriad byddai 'sandwiches' o bob math yn sbâr ar ôl yr arlwy, a bara brith a chacennau ecsotig (i mi beth bynnag). Byddai'r tri ohonom ninnau, dan esgus helpu i glirio i fyny, yn barod iawn i rannu'r ysbail.

Cyfarfod arall y cawn flas arno oedd y Band of Hope. Byddai tyrfa luosog o fechgyn a genethod yn perthyn iddo'r adeg honno, a chanu ac adrodd a chystadlu brwd a bywiog yn mynd ymlaen dan arweiniad medrus pobl fel y diweddar David Jones a W.B. Griffiths ('Griffiths E.B.').

Dim ond am flwyddyn yr arhosodd fy nau fêt yn yr ysgol, a chan fod Mrs Jones, Tŷ'r Capel, erbyn hynny, wedi cael digon ar gadw lojiwrs, bu'n rhaid imi ffeindio lety newydd a phartner newydd i'w rannu. Fy nghyd-letywr newydd oedd Cyril Williams, Blaen y Nant, Crafnant. Bu ei dad, William Williams, yn flaenor efo'r Hen Gorff yn Nhrefriw am flynyddoedd lawer. Aeth Cyril i weinidogaeth yr Eglwys yng Nghymru ymhen amser, gan orffen ei yrfa yn Ficer Dinbych. Mae wedi ymddeol bellach, a byddwn ein dau yn cyfarfod yn achlysurol i ffeirio hen atgofion.

Yn rhif 21, Stryd Siôr (George Street i bawb yr adeg honno) yr oedd y llety newydd o dan gronglwyd Mr a Mrs John Williams – pobl a adwaenwn cyn hynny. Nid oedd ond blwyddyn neu ddwy er pan symudasent i fyw i'r dref, ar ôl ymddeol o ffarmio Ty'n y Ffordd – y ffarm agosaf i'm cartref. Gwreigan fer, siarp ei thafod weithiau, ond caredig ddigon mewn gwirionedd oedd hi. Am John Williams nid oedd yr hen frawd addfwyn yn ddim ond atodiad defnyddiol a diniwed i'w wraig. Gyda hwy y bu fy lluest am y pedair blynedd nesaf, ar wahân i fwrw'r Suliau a'r gwyliau gartref.

Sut y byddem ni, 'blant y wlad' yn treulio'n hamser, pan nad oeddem yn yr ysgol a phan nad oeddem yn gwneud ein 'homwyrc'? Gallaf ateb dros y bechgyn yn weddol gywir, a rhywbeth yn debyg, at ei gilydd, mae'n siŵr, oedd hanes y genethod, ond bod gwarchodaeth eu lletywyr drostynt hwy yn gaethach o dipyn rwy'n tybio.

Dibynnai'n gweithgareddau ni'r bechgyn ar fin-nosau gryn lawer ar yr adeg o'r flwyddyn. Rownd-y-ril crwydrem gryn dipyn hyd y strydoedd yn ddeuoedd a thrioedd, ond heb fynd i unrhyw drybini o bwys, hyd y cofiaf. Yn y gaeaf a'r gwanwyn byddem yn cicio pêl-droed yng nghae'r ysgol (ambell un yn sgilgar, pawb ohonom yn foddfa o chwys a brwdfrydedd). Daliem ati tra parhâi golau dydd. Yn wir mi gofiaf achlysuron pan aem ymlaen â'r chwarae wedi iddi dywyllu, gan fanteisio ar olau anwadal y lampau nwy gydag ochr y ffordd a gyd-redai â'r cae. (Sylw wrth fynd heibio, ac awgrym o'r newid anhygoel a fu ar bethau er y cyfnod hwnnw. Nid oeddwn *erioed* wedi cymaint â gweld pêl-droed 'go iawn' nes cyrraedd y 'cownti'.)

Pan fyddai'r 'afon fawr' yn gorlifo'i glannau, ac yr oedd llifogydd gwaeth y pryd hynny nag y sydd heddiw, caem ni blant gryn hwyl a chyffro a llawer o annwyd wrth fentro i ymylon y llifeiriant. Byddai rhai o fechgyn mentrus y dref yn gwneud 'rafftiau' o ystyllod, a'u hwylio â pholion ar wyneb y dyfroedd yn y dolydd tu draw i'r Bont Fawr. Hoff fangre ar gyfer y mordwyo hwnnw oedd y llecyn lle y saif meini'r orsedd heddiw – y cylch o gerrig anferth a gludwyd yno o lannau Llyn Ogwen (mi gredaf) adeg Eisteddfod Genedlaethol 1951.

Pan fyddai'n wres yn yr haf aem i ymdrochi. Yr oedd tri llyn uwchlaw'r Bont a ddefnyddid at y pwrpas: Llyn Cei Bach (mwy neu lai ar gyfer y cae pêl-droed), Llyn Cei mawr, y llyn dwfn yn uwch i fyny o dan hen dderwen fawr, lle byddai'r nofwyr profiadol yn plymio, weithiau oddi ar gangen o'r hen goeden a ymestynnai dros y dŵr. Yn uwch i fyny wedyn yr oedd Raslyn, llyn llydan heb fod yn rhy ddwfn. Yno y byddem ni hogiau'r wlad a rhyw nifer fach o ienctid y dref yn ymdrochi yn noeth lymun groen, a neb, hyd y gwn, yn meddwl protestio.

O aros yn y dref, hefyd, yr oeddwn yn cael cyfleusterau na fuaswn wedi eu cael gartref. Mynd i gapel Horeb (E.F.) ar noson waith, er enghraifft, i wrando pregethwyr fel Tecwyn a Thegla ac i gapel Peniwel (B) i glywed huodledd llifeiriol Jubilee Young. Yn Llanrwst yn hogyn ysgol y clywais fy mhregeth Sasiwn gyntaf, yn 1924, mewn pabell wedi ei gosod yn y cae lle y mae'r mart anifeiliaid yn cael ei gynnal yn awr. Philip Jones, Porthcawl, oedd yn pregethu, ar eiriau'r brenin Dafydd, 'A oes eto un wedi ei adael o dŷ Saul fel y gwnelwyf drugaredd ag ef er mwyn Jonathan?' Beth bynnag yw barn pobl erbyn hyn ar Philip Jones fel pregethwr, does dim dwywaith am ei allu i hoelio sylw cynulleidfa. Un peth a wn, mor fyw oedd ei bregeth, fel pan euthum adref i Langernyw bnawn drannoeth, medrwn ei hadrodd bron yn ei chrynswth ar dafod leferydd – o ran hynny medraf ddarnau go helaeth ohoni hyd heddiw. Gyda llaw, pan oedd y pregethwr yn mynd i hwyl y pnawn hwnnw ac yn tiwnio fel y byddai ef, yr oedd dynion a oedd yn gweithio yn y dolydd o flaen Siamber Wen wedi ei glywed – clywed ei lais, wrth gwrs, nid deall y geiriau. Bid siŵr, yr oedd hi'n brynhawn hafaidd hyfryd a'r adeg honno yr oedd pobman yn llawer iawn tawelach nag yrwan, a dim sôn am y traffig byddarol sy'n ein gyrru ni o'n coeau heddiw.

Dro arall, cofiaf fynd un hwyr i wrando ar Philip Jones yn

darlithio yng nghapel Seion ar 'Mathews Ewenni', un o'r perfformiadau – a *pherfformiad* ydoedd – mwyaf dramatig, mwyaf *entertaining*, mwyaf byw a glywais erioed: portread meistraidd o un ecsentrig gan ecsentrig arall. Rwy'n cofio'r capel eang dan ei sang a phobl yn eistedd ar ffenestri a grisiau'r galeri.

Maes arall y cefais fy nghyflwyno iddo yn Llanrwst oedd 'politics'. Cyn dyfod i'r ysgol dim ond un peth a gofiaf â naws gwleidyddol iddo. Cofio 'Nhad (rhyw un ar ddeg oed oeddwn i ar y pryd) yn adrodd gydag afiaith stori a glywai rhyw siaradwr (ni wn pwy ydoedd) yn ei defnyddio mewn cyfarfod lecsiwn. O edrych yn ôl tybiaf mai etholiad 1918 (y 'coupon election' enwog) ar ddiwedd y Rhyfel Byd Cyntaf oedd hwnnw. Yr oedd gwleidyddion radical yn pwysleisio bod y bobl gyffredin trwy eu cyfraniad enfawr tuag at ennill y rhyfel wedi ennill eu hawl i freintiau rhyfel, nas cawsant cynt. Mynych y rhybuddid y werin rhag i'r dosbarthiadau cefnog unwaith eto eu twyllo o'u cyfiawn wobr. Hynny oedd ergyd y stori a adroddai 'Nhad wrth gymydog a oedd wedi galw heibio i'n tŷ ni.

Stori oedd hi am ymgeisydd mewn lecsiwn yn America – rhyw Cyrnol Martin – yn mynd o gwmpas i ganfasio am gefnogaeth. Daeth ar draws ryw Negro a fuasai'n was iddo ryw dro. 'Sambo,' meddai'r ymgeisydd, 'rwyt ti'n mynd i fotio imi ond wyt-ti?' 'Wel,' meddai Sambo, 'Na, dwi ddim yn meddwl.' 'Sut hynny?' 'Wel, *boss*, mi gês i freuddwyd y noson o'r blaen. Breuddwydio fy mod i ar fy ffordd i'r nefoedd. Ac wedi i mi gerdded am rai milltiroedd, pwy ddaeth i 'nghwarfod yn dod o'r cyfeiriad arall ond y chi, *boss*. Meddech chi wrtha i, "I ble rwyt ti'n mynd?" Minnau'n ateb "I'r nefoedd." "Waeth iti heb ddim" meddech chithau. "Chei di ddim mynd i mewn. Dw i wedi bod yn trio ac wedi cael 'y ngwrthod. Y peth ddeudodd Pedr wrtha i oedd 'chaiff neb fynd i'r nefoedd ond ar gefn ceffyl'." Wel, Cyrnol Martin,' ebe Sambo, 'pan glywais i hynny, rown i'n teimlo'n reit ddigalon. A dyma chithau'n deud, "Sambo, mae gen i syniad. Be ddyliet ti? Mi gei di fod yn geffyl i mi, mi gei di 'nghario fi at borth y nefoedd. Felly mi gawn ni'n dau fynd i mewn." A dyna wnaethom ni, *boss*. Mi'ch cariais i chi bob cam at ddrws y nefoedd. A dyma chithau'n curo a Phedr yn gofyn, "Pwy sy' 'na?" "Cyrnol Martin," meddech chithau, "eisiau mynd i'r Nefoedd." "Oes gen ti geffyl?" meddai

Pedr. "Oes," medda chitha. A dyma Pedr yn deud, "Clyma fo tu allan a thyrd i mewn."'

Am wn i mai clywed 'Nhad yn deud y stori yna a ddeffrôdd fy niddordeb i gyntaf mewn gwleidyddiaeth. A synnwn i ddim na fu'n gymorth i ffurfio fy marn wleidyddol yn nes ymlaen, mewn un agwedd arni.

Yn ystod y blynyddoedd pan oeddwn yn yr ysgol yn Llanrwst ac yn lletya yn y dref, bu tri etholiad cyffredinol, a hynny dair blynedd yn olynol, yn 1922, 1923 a 1924. O'r holl gyfarfodydd a gynhaliwyd yn y dref ynglŷn â'r rheini ni chredaf imi golli'r un, ond y rhai, wrth gwrs, a gynhelid ar nos Wener a nos Sadwrn. Yn y 'Church House' (ni freuddwydiai neb yr adeg honno am gyfeirio at y lle fel 'Neuadd yr Eglwys') y cynhelid cyfarfodydd pob plaid, ac yr oedd llawer o hwyl a heclo ynglŷn â hwy, ond ychydig, os dim, terfysg gwirioneddol.

Yn 1922 y gwelais ac y clywais Llew G. Williams am y tro cyntaf – a'r tro olaf. Ef oedd ymgeisydd y Rhyddfrydwyr Rhydd – yr adran o'r Blaid Ryddfrydol oedd yn dilyn Asquith yn hytrach na Lloyd George. Dyn go dal, enbyd o denau, a'i wallt du gloywddu'n gwneud i'w wyneb gwelw edrych yn welwach fyth, a dau lygad dwfn yn llosgi fel dau golsyn yn ei ben – dyn na allech beidio â sylwi arno. 'Un o wŷr galluocaf Cymru yn ei ddydd' oedd dyfarniad y diweddar E. Morgan Humphreys arno. (E. Morgan Humphreys, *Gwŷr Enwog Gynt*, Cyfrol 2, Gwasg Aberystwyth, 1953. Portread campus a chytbwys o Llew G Williams yw'r cyntaf yn y llyfr.) Ac eto ar ôl ei farw ymhen rhyw dair blynedd wedyn o'r diciau a'i poenydiodd am y rhan fwyaf o'i oes, fe'i anghofiwyd bron yn llwyr. Gŵr o Benygroes, Arfon, ydoedd ond yn rhyfedd iawn, yn ei ddarlith, 'Yn Nhalysarn ers talwm' lle mae Gwilym R. Jones yn rhestru enwogion Dyffryn Nantlle, nid oes air o sôn amdano. Mud hefyd yw'r *Bywgraffiadur* yn ei gylch.

Pa fodd bynnag, er nad oeddwn ond pedair ar ddeg oed ar y pryd, a bod yn rhaid imi gyfaddef na chofiaf ddim o ddeunydd ei araith y noson honno, gwnaeth angerdd ei argyhoeddiad, a grym rhyfedd ei bersonoliaeth, argraff arnaf na ddilewyd byth mohoni. Yn nes ymlaen pan euthum i'r Coleg ym Mangor (yn y flwyddyn y bu Llew G. Williams farw) cefais y cyfle mewn ôl-rifynnau o'r *Welsh Outlook* a chylchgronau eraill i ddarllen rhai o'i ysgrifau o feirniadaeth lenyddol. Gwnaeth y rheini argraff arnaf hefyd o ŵr o allu anghyffredin. 'Prif feirniad llenyddol Cymru yn ei ddydd,' ebe Robert Williams Parry. (*Rhyddiaith R. Williams Parry*, Gol. Bedwyr Lewis Jones, Gwasg Gee, 1974. Ar dud. 16 y ceir y dyfarniad uchod. 'Anatiomaros' yw teitl yr ysgrif ar Llew G. Williams, a ymddangosodd gyntaf yn 1936. Portread gwych arall, sy'n dweud llawer am 'Fardd yr Haf' yn ogystal ag am Llew G. Williams.)

Dyn tebyg ddigon i Llew G Williams o ran ei syniadau ac o ran cryfder ei argyhoeddiadau, ond gwahanol iawn ei berson a'i bersonoliaeth oedd Ellis Davies, Caernarfon – un arall a glywais yn siarad yn y Church House ar adeg lecsiwn. Twrnai oedd ef wrth ei alwedigaeth, a bu'n aelod seneddol dros Arfon, Sir Gaernarfon am gyfnod. Fel y gweddai i dwrnai yr oedd yn siaradwr clir a rhesymegol, ond yr oedd gyda hynny yn ddifyr a ffraeth. Cofiaf ef yn cyfeirio tua dechrau ei anerchiad y tro hwnnw at ryw ddwy garfan wleidyddol ar y pryd oedd yn beio'r naill y llall am rywbeth wedi mynd o'i le. Daliai Ellis Davies bod y ddwy mor gyfrifol â'i gilydd ac mai dibwynt oedd ceisio penderfynu rhyngddynt. 'Fel yr hogyn bach hwnnw,' meddai, 'wrth weld ci â hen dun wedi'i glymu wrth ei gynffon yn ratlo mynd nerth ei draed ar hyd y ffordd, yn gofyn i'w dad, "Prun ai'r ci sy'n rhedeg am fod y tun yn gwneud sŵn ynteu'r tun sy'n gwneud sŵn am fod y ci yn rhedeg?"'

Cof clir arall (am rywbeth dibwys hollol mae'n wir) sy gennyf am un o'r cyfarfodydd hynny yw am ryw ddynes (ni ddywedaf o ba blaid!) – pladres o ddynes, yn got ffwr am y gwelech chi, – yn sôn, gydag acen y gallech ei thorri efo twca, am 'the grôsa, the bêca and the bwtsia'. Hyd yn oed i un wedi ei fagu'n Ysgol y Llan yr oedd yr acen honno'n rhywbeth i ryfeddu ati!

Cyn gadael f'atgofion gwleidyddol yn y cyfnod hwnnw o'm hoes (y fath ag ydynt) credaf mai cyfeirio at etholiad 1923 ac nid un 1924, a wnâi'r diweddar brifardd W.D. Williams mewn tri englyn a anfonodd i'm brawd (J.T.) mewn llythyr ar y pryd. Yr oedd W.D. erbyn hynny wedi gadael Coleg Bangor a mynd yn athro yn Swydd Efrog, ac arno gryn hiraeth am fywyd myfyriwr ac yn enwedig am gymdeithas lawen cymdeithion o'r un anian a diddordebau llenyddol ag yntau. Dangosodd fy mrawd yr englynion imi ar y pryd. Fel popeth o waith W.D. yr oeddynt y rhedeg mor rhwydd a naturiol, nes imi eu dysgu bron ar y darlleniad cyntaf. Fe'u cofiaf hyd heddiw, a dyma nhw (ni wn a fuont mewn print o gwbl o'r blaen):

> Lloyd George, Macdonald, Baldwin – ac Asquith
>   A'u gosgordd i'w canlyn,
> Eu bwriad hael sydd bryd hyn
> Yn 'Iwtopia' bob tipyn.

Arweinydd y Rhydd-frydwyr Coalisiwn, arweinydd y Blaid Lafur, arweinydd y Toriaid, ac arweinydd y Rhyddfrydwyr Annibynnol.

> 'Free Trade' a chwâl ddyledion; – y 'Levy'
>   Chwâl ofid y tlodion;
> A'r 'taxes' – chwâl 'Protection'
> Hwy'n gryno o'r henfro hon.

'Masnach Rydd': slogan y Rhyddfrydwyr – o'r ddwy garfan. 'Y (Capital) Levy': Prif bolisi Llafur. 'Protection' (Diffyndollaeth): Polisi'r Toriaid.

> Ymaith, bob culni weithian!! – af ati,
>   Mi fotiaf i'r cyfan;
> Diau, felly, dof allan
> Yn wyn 'y myd yn y man!

Atgo am rywbeth gwahanol iawn i wleidyddiaeth yw hwnnw am griw ohonom yn mynd ryw noson dan ofal yr athro Saesneg, i'r Palladium yn Llandudno, i weld Cwmni Syr Frank Benson yn perfformio 'The Tempest' Shakespeare. (Perfformiwyd y ddrama honno gyntaf, gyda llaw, yn 1610, y flwyddyn yr adeiladwyd yr hen ysgol yr oeddem yn ddisgyblion ynddi.) Fel y gŵyr pawb y mae'r 'Tempest' yn cynnwys peth o farddoniaeth odidocaf Shakespeare. Ond rwy'n ofni (mewn cywilydd yr wy'n cyffesu) mai'r unig beth o'r perfformiad hwnnw a gofiaf yn glir yw'r balmwydden dal oedd yn sefyll yng nghanol y llwyfan a Syr Frank Benson, yn actio rhan Caliban, yn dringo honno ac yna'n llithro i lawr ar ei hyd a'i ben yn gyntaf ac yn bwrw din dros ben ar ôl cyrraedd y llwyfan.

Peth arall, hwyrach, y dylwn roi gair o sylw iddo ydyw'r profiad od, 'eerie' bron, a ddeuai i'n rhan ni, blant o 'lojiwrs' ar ddiwrnod gwibdaith flynyddol ysgolion Sul a chapeli Llanrwst. Digwyddai honno ar y trydydd dydd Iau ym mis Mehefin bob blwyddyn. Byddai pob enwad yn uno yn y 'trip'. Llandudno, yn ddieithriad oedd y gyrchfan ac ar y trên – trenau arbennig wedi eu llogi gan bob capel at eu gwasanaeth – yr oedd y tripwyr yn teithio – a hynny wrth y cannoedd. Yn wir bron na ddywedech fod pob enaid yn y dref, o'r plentyn sugno hyd yr hynafgwr a'r hynafwraig – pawb nad oedd ar ei wely angau neu o fewn pellter mesuradwy iddo – yn mynd ar y trip. Profiad rhyfedd fel y dywedais, i ni, letywyr y 'cownti' oedd cael ein gadael ar ôl am ddiwrnod cyfan mewn tref wag. (Nid oedd yn werth inni fynd adref, a dychwelyd bore trannoeth, i ddim ond i wneud y daith adre'n ôl yr un prynhawn.) Yr oedd rhyw ddistawrwydd annaturiol dros bob man, a chymerai beth amser inni ddygymod â'r awyrgylch ac i ddod i siarad yn ein lleisiau normal. Tueddem i ymagweddu fel pe baem mewn mynwent – neu gan fod pob siop a gweithdy wedi eu cau'n sownd, a phob tafarn hyd yn oed fel petai swildod mudan wedi ei meddiannu, efallai mai gwell cymhariaeth fyddai y drychiolaethau o drefi, y 'ghost towns' a ddangosir weithiau ar ffilmiau 'western'. Y ffordd orau i ddianc rhag yr awyrgylch annifyr oedd mynd am dro allan i ffyrdd a llwybrau'r wlad oddi amgylch – a dyna a wnâi niferoedd ohonom. Yr oedd tawelwch yn y wlad hefyd, wrth gwrs, ond tawelwch cartrefol, caredig ydoedd.

I dorri'r stori'n fer, byddai pawb ohonom yn llawenhau pan glywem sŵn y trenaid cyntaf o ddychweledigion y trip yn nesu at y stesion, ac arwyddion i'w canfod bod bywyd a chynefinder yn cael eu hadfer i 'ddinas y meirw'.

Cyn gadael f'atgofion am yr hendref fel yr oedd pan oeddwn i'n hogyn ysgol yn fuan ar ôl terfyn y Rhyfel Byd Cyntaf, gwell imi nodi un peth arall. Roedd Llanrwst yn dipyn llai o ran maint bryd hynny. Yr oedd 'Scotland Street' a'r 'Narrow Street' gyfagos yno yn eu holl ramant a'u cyffro a'u slymdod gor-boblog ac yn berwi o fywyd a chymeriadau lliwgar. Ond rhwng 'Sgot' a Ffordd Parri nid oedd, y tu yma i'r 'afon bach' ddim ond caeau gwyrddion. Cofiaf 'sioe geffylau bach' yn gosod ei gwersyll ar fin Ffordd Parri – a hynny'n yr union amser pan oeddwn i, druan (yn fy llety yn Stryd Sior, ryw hanner canlath i ffwrdd) yn ceisio astudio gwahanol bynciau fy maes llafur yn arholiad y 'Senior' a oedd yn digwydd y feri dyddiau hynny. Nid oedd sŵn byddarol y 'chair-o-planes' a'r cychod-siglo, a'r stondinau pledu coconyts, a thwrf eu cwsmeriaid, bach a mawr, a holl firi swnllyd y sioe yn fawr o help i hogyn ysgol ganolbwyntio'i sylw ar bethau fel daearyddiaeth y byd a hanes Lloegr, a berfau afreolaidd yr iaith Ladin a dyrysbynciau eraill o'r fath.

Pwynt hyn oll yw pwysleisio nad oedd dim sôn o gwbl yr adeg honno am dŷ yn Ffordd Parri rhwng capel Peniwel a'r tŷ a elwir heddiw (ac a elwid y pryd hynny) yn 'Dolwar' ac y sy'n sefyll (yn un o dri fel y pryd hwnnw) gyferbyn â phorth capel y Tabernacl. Nid oedd stad tai Cae Llan yn ddim ond breuddwyd yn nychymyg rhyw gynllunydd, os oedd yn gymaint â hynny hyd yn oed. Yr oedd yr un peth yn wir am stadau Cae Tyddyn, Cae'r Felin a Chae Person – heb sôn am y tai sydd bellach yn glystyrau ar fin ffordd y Betws, ffordd Cae Melwr, ffordd Llangernyw a ffordd Llanddoged.

O ie, yr oedd yr hen wyrcws, rhwng y 'Queen's' a stestion yr L.M.S. (rhywbeth yn y dyfodol oedd British Rail) yn dal i gyflawni ei swyddogaeth wreiddiol o roi cartref i dlodion di-adnoddau, a llety noswaith i grwydriaid y ffyrdd. Wedi'r Ail Ryfel Byd fel eraill o'i chyffelyb fe'i gweddnewidiwyd yn gartref henoed, dan yr enw Dolanog. Yn y diwedd tynnwyd yr hen adeilad i lawr, ond erys yr enw, fel y gwyddom, ar y cartref newydd a godwyd i gymryd ei le er nad ar ei hen safle.

Yr wyf eisoes wedi mynd dros derfynau fy ngofod. Yr oeddwn wedi bwriadu sôn cryn dipyn am yr hyn a brofais *oddi mewn* i'r hen 'Ysgol Rad' fel y parheid i alw y 'Cownti Sgwl' gan drigolion y fro cyn amled â pheidio. Wedi'r cwbl fy ngwaith yn y sefydliad hwnnw oedd amcan fy nyfod i aros yn Llanrwst. Ofnaf, fodd bynnag, y bydd yn rhaid imi grynhoi fy sylwadau ar y cyfnod a dreuliais yn y 'Cownti' i ryw ychydig baragraffau.

Yr oedd yr Ysgol Sir mewn un peth yn debyg i Ysgol Llangernyw. Saesneg oedd iaith 'swyddogol' yr ysgol ac yn yr iaith honno y cynhelid holl fywyd 'swyddogol' y lle ac y cyflwynid yr holl wersi (yr oedd un eithriad i hyn fel y cawn weld); Saesneg a siaradai'r athrawon â'r disgyblion o fewn libart yr ysgol, hyd yn oed y Cymry, sef y mwyafrif ohonynt. Ar y llaw arall yr oedd f'ysgol newydd yn tra rhagori ar yr hen yn hyn o beth. Nid oedd yno unrhyw ymgais i'n gwahardd rhag siarad Cymraeg â'n gilydd, oddi mewn nac oddi allan i'r muriau.

Heblaw hynny, yr oedd y Gymraeg yn cael ei dysgu fel pwnc yn yr ysgol. Mae'n wir mai mater o ddewis ydoedd i'r disgyblion rhwng dysgu Cymraeg a Ffrangeg. Ond toc wedi i mi gyrraedd yr ysgol, yn ffodus i mi ac eraill, rhoddwyd terfyn ar y drefn ynfyd honno a gwnaed hi'n bosibl i'r rhai a ddymunai hynny gael gwersi yn y ddwy iaith.

Y gwersi Cymraeg oedd yr eithriad i'r rheol mai Saesneg oedd cyfrwng addysg ym mhob pwnc. 'Wel, debyg iawn,' meddech chwithau. Ond cofier, er mor anhygoel y swnia'r peth i'n clustiau ni heddiw, yr oedd ysgolion i'w cael yn y cyfnod hwnnw lle dysgid y famiaith *trwy gyfrwng y Saesneg*.

Bychan o nifer oedd yr ysgol, fawr mwy na rhyw gant a hanner o ddisgyblion ac yr oedd yno bum athro (gan gynnwys y Prifathro) a dwy athrawes ar eu cyfer. Credaf fod gwaith yr ysgol ym mhob pwnc yn cyrraedd safon foddhaol, ar y cyfan, a bod yr athrawon yn dra chydwybodol yn eu gwaith. O'm rhan fy hun, er bod ambell un yn fwy o fferfryn na'i gilydd, yr oeddwn drwodd a thro'n llwyddo i gyd-dynnu â'r holl athrawon yn ddifai, ac er na allaf honni fy mod yn ymbleseru ym mhob un o'r pynciau, yr oeddwn yn rhoi cyfrif gweddol ohonof fy hun yn y cwbl – ond dau. Y ddau eithriad oedd Mathemateg a Ffiseg. Yn groes i'r graen yr awn at y rheini a gwantan ar y gorau oedd y marciau a enillwn ynddynt. Fel Daniel Owen gynt, ni ellid fy ystyried yn fod *'cyfrifol'*. Prysuraf i ychwanegu nad bai'r ddau athro a fu'n ymlafnio i bwnio'r ddeubwnc i'm hymenydd anystywallt oedd fy methiant i'w trafod.

Pe bai amser hoffwn fanylu ar f'atgofion am fy holl athrawon a'u nodweddion ond nid yw hynny'n bosibl. Yr wyf, fodd bynnag, am geisio sôn yn fyr am ddau ohonynt, a dewisaf hwy am yr unig reswm mai â hwy y bu fy nghyfathrach i agosaf, ac am mai hwy a ddysgai'r ddau bwnc y dewisais i eu hastudio ar gyfer fy ngradd, ar ôl i mi fynd i'r Coleg.

Y cyntaf oedd y Prifathro, H. Parry Jones, cyfoed a chyfaill a chyd-ysgolhaig â W.J. Gruffydd, yn Ysgol Sir Gaernarfon i ddechrau ac yna yng Ngholeg Iesu Rhydychen. Clasurwr oedd H.P.J. (a oedd gyda llaw'n perthyn yn agos i Syr John Morris-Jones) a chanddo feistrolaeth fawr ar Ladin a Groeg. Mwy na hynny, meddai ar y ddawn o gyflwyno'i ddysg i unrhyw ddisgybl a oedd yn barod i'w derbyn. Heblaw'r Clasuron, dysgai hefyd Hanes a Gwybodaeth Ysgrythurol mewn nifer o ddosbarthiadau, a gwych o athro ydoedd yn y pynciau hynny hefyd. Ond Lladin, a Groeg i fesur llai, oedd ei faes ef. Yr oedd ef ei hun yn ymhyfrydu ynddynt, a gallai trwy ddawn gynhenid drosglwyddo'i frwdfrydedd i eraill.

At hynny yr oedd yn un trwyadl yn ei waith. Gŵyr pawb a geisiodd ddysgu Lladin nad oes obaith i neb fyth ennill unrhyw fath o safon yn y pwnc heb iddo o'r cychwyn cyntaf fynd i'r afael o ddifrif ag elfennau sylfaenol gramadeg a chystrawen yr iaith a'r cant a mil ffurfiau, treigladau a rheolau a berthyn iddi – gwaith digon diflas ar y dechrau, ond cwbl hanfodol. Mynnai ein hathro ein bod yn *gwneud* y dasg ac yn ei gwneud yn drylwyr. Nid oedd dim *slipshod* yn ei waith ef ei hun, ac os gallai ef sut yn y byd rwystro hynny ni chai yr un ohonom ninnau ei ddisgyblion fod yn *slipshod.* Yn y dosbarthiadau uchaf wrth inni astudio rhyw destun Lladin, rhyddiaith neu farddoniaeth ni fodlonai ar dderbyn *rhyw lun* o gyfieithiad gennym – byddai'n rhaid inni ymdrechu i gyfleu'r meddwl gwreiddiol mor gywir ac mor gryno ag a oedd modd, a chyda chymaint o raen llenyddol ag a oedd o fewn ein gallu. Yr oedd ef ei hun yn llenor o chwaeth yn Gymraeg a Saesneg, a byddai ei fersiynau ef o'r testun yn esiampl ac yn symbyliad i ninnau. Dylwn grybwyll y byddai'n fynych wrth egluro cystrawen Ladin yn troi at ryw enghraifft o ddull cyfatebol o ymadroddi yn Gymraeg. Gwaith anodd oedd trosi o'r Lladin i Saesneg; gwaith saith anos oedd troi darn o Saesneg i'r Lladin. Ond yr oedd H.P.J. yn gampwr ar hynny hefyd ac yn meddu ar y ddawn i ddysgu'r grefft, i fesur go helaeth i'w ddisgyblion.

Amdanaf fy hun, mae fy nyled yn fawr iddo. Ni chollais hyd y dydd heddiw mo'r hoffder a ddysgais ganddo ef o'r iaith Ladin a'i llenyddiaeth. Ac mi allwn enwi eraill o'r rhai fu dan ei law a dystiai yn gyffelyb.

Yr athro arall y mae'n rhaid imi gyfeirio ato oedd yr athro Cymraeg. Brodor o fro Ffestiniog ydoedd ef a'i enw oedd O.R. Hughes – gŵr oedd yn un o ddisgyblion cynnar John Morris-Jones ym Mangor. (Nid wyf yn siwr nad ef oedd yr efrydydd cyntaf a enillodd radd M.A. o dan ei gyfarwyddyd ac fel pawb a fu wrth draed yr athro hwnnw, yr oedd ei edmygedd ohono'n ddi-bendraw.)

Gŵr byr o gorff ydoedd O.R.H. a byr ei amynedd hefyd yn fynych. Cas ganddo unrhyw sisial na symud yn ei ddosbarth, ac arweiniai hynny nid yn anaml i ffrwydrad. Gormod wedi'r cyfan oedd disgwyl i griw o ieuenctid nwyfus fod mor swat ag a ddymunai ef. Ond yn y diwedd yr oedd gennym barch mawr ato a hoffter ohono. Pan fu cyfarfodydd ychydig flynyddoedd yn ôl i ddathlu dau can mlwyddiant capel Seion Llanrwst bu nifer o gynaelodau'r capel a fuasai'n ddisgyblion yn yr 'Ysgol Rad' yn siarad. Cyfeirient at ddylanwad yr hen athrawon. Yr hyn a'm trawodd i oedd mai'r unig un y cyfeiriodd *pob un* o'r siaradwyr ato oedd O.R. Hughes.A phob un yn mynegi edmygedd.

Athro penigamp ydoedd. Fel H.P.J. yr oedd yntau yn un trylwyr – a mynnai gan ei ddisgyblion yr un trylwyredd. Ni fynnai ef mo'r gred fodern bod dysgu 'rheolau' ac 'enghreifftiau' ar gof yn troi plant yn erbyn iaith, – ffiloreg sydd i fesur mawr yn gyfrifol am y dirywiad di-wad yn safon sgrifennu Cymraeg ymhlith llu o'n hieuenctid yn y blynyddoedd diwethaf. Gallaf hyd heddiw, a gwn am eraill o'm cyfoedion ysgol a all ail adrodd yn stribed ddi-betrus fel y'u dysgasom gydag ef derfyniadau unigol, lluosog ac amhersonol amser presennol y modd dibynnnol yn Gymraeg ('-wyf, -ych-ech, -o, -om, -och, -ont, -er'), neu derfyniadau ffurfiol amhersonol y ferf ymhob amser a modd ('-r, -id, -wyd, -asid, -er, -er') neu holl amryfal ffurfiau amser presennol y ferf 'bod': 'Yr wyf, ydwyf, yr wyt, ydwyt, y mae, yw, ydyw, oes, sydd/yr ym, ydym, yr ych, ydych, y maent, ynt ydynt,/yr ys, ydys'. A degau o bethau cyffelyb.

Yr un mor drylwyr fyddai ei ddull o ymdrin â'r darnau o lenyddiaeth a ddewisai inni i'w hastudio. Hoff ddarn ganddo ar gyfer Dosbarth II neu III fyddai stori 'Morus Huws y Felin' o'r gyfrol *Clawdd Terfyn* gan R. Dewi Williams (un o gyn-ddisgyblion yr ysgol, gyda llaw). Byddai paragraffau cyntaf y stori honno gennym ar dafod-leferydd o'i manwl-drafod o dan ei arweiniad ac o'i fynych glywed ef yn eu hadrodd yn orawenus. Wrth wrando arno dysgem werthfawrogi blas ymadroddion fel

y llu ceunentydd sydd megis o gylch godre Mynydd Hiraethog

a

cloi ei chonglau a lefelu ei thrawstiau

a

tra byddai'r saint yn ymdrwsio oddi allan â gweddusrwydd, ac oddi mewn â gostyngeiddrwydd, ac yn ymgynnull yn finteioedd i'r cysegr, byddai'r melinydd yn yr ystafell nesaf i mewn yn dyfal drwsio sachau

a llu o rai eraill.

Wrth sôn am y darn a ddyfynnais ac fel prawf o effeithiolrwydd dull O.R.H., cofiaf am y diweddar annwyl Wil Berry (Llanrwst) yn dwyn ar gof amdano ef ei hun ac un o'i gyfoedion ysgol, chwarter canrif a mwy wedi ymadael â'r Cownti, yn cyfarfod ac yn rhannu atgofion. Yr oedd ei gyfaill erbyn hynny yn aelod seneddol dros ran tra Seisnig o Loegr, a magwraeth rannol Gymreig a gawsai ar y gorau. Ond ar yr achlysur hwnnw, meddai Wil, y pennaf hwyl a gafodd y ddau ohonynt oedd cystadlu â'i gilydd yn adrodd yn null afieithus 'Huws Bach' baragraffau cyfeuon o 'Morus Huws y Felin'.

I ddosbarthiadau hŷn fe gyflwynai O.R.H. yn yr un modd trwyadl, a chyda'r un brwdfrydedd heintus, dalpiau helaeth o *Weledigaethau'r Bardd Cwsg* (Ellis Wynne) a 'Rhagymadrodd' enwog Gruffydd Robert i'w Ramadeg Cymraeg. Yr oedd Morgan Llwyd o Wynedd yn hoff awdur ganddo, a llawer dyfyniad a glywsom ni ei ddisgyblion o'i enau o *Lyfr y Tri Aderyn*. Dau glasur arall a hoffai ac a ddyfynnai'n aml oedd *Salmau Cân* Edmwnd Prys a chywyddau Goronwy Owen. Yr oedd wedi ei drwytho yng ngweithiau Daniel Owen, a chlywais ef yn traddodi darlith goeth ar y nofelydd enwog.

Yn wir ni lefarai un adeg, mewn ymgom gyffredin, nac wrth

annerch cynulleidfa ond yn goeth. Ac ni allai'r coethder ymadrodd hwnnw beidio â chael dylanwad hyd yn oed ar y rhai mwyaf difraw o'i ddisgyblion. Brithai ei wersi â diarhebion a phriod-ddulliau Cymraeg ac ag ymadroddion o'r Beibl. Yr oedd yr Ysgrythurau ar bennau ei fysedd a darnau helaeth ohonynt ar ei gof. Cofiaf yn fyw iawn amdano yn un o wersi'r chweched dosbarth yn torri allan i adrodd yn afieithus, bron na ddywedwn yn orfoleddus, ran o'r bymthegfed bennod o'r llythyr cyntaf at y Corinthiaid gan orffen:

. . . a phan ddarffo i'r llygradwy hwn wisgo anllygredigaeth ac i'r marwol hwn wisgo anfarwoldeb, yna y bydd yr ymadrodd a ysgrifennwyd, Angau a lyncwyd mewn buddugoliaeth O angau pa le mae dy golyn? O uffern pa le mae dy fuddugoliaeth?

Mae dau neu dri o aelodau'r dosbarth hwnnw'n fyw o hyd. Mi fentraf eu bod hwythau'n cofio'r achlysur, ac eraill cyffelyb iddo.

Ni fedrai digwyddiadau fel yma beidio â chael dylanwad arnom. Peth arall, mewn dull gwahanol ac yn fwy diarwybod inni a gafodd effaith ar rai ohonom o leiaf oedd hyn: ef oedd yr unig athro a siaradai Gymraeg â ni o fewn muriau'r ysgol, nid yn unig yn ei wersi, ond pryd bynnag y cyfarfyddai â ni.

Aeth hanner canrif, o fewn blwyddyn, heibio er pan draddododd ef ei wers olaf yn yr hen Ysgol Sir ond erys cryn nifer o'i gyn-ddisgyblion o hyd yn fyw, rai yn y cylchoedd hyn, eraill ar hyd a lled Cymru a'r byd. Tra bo un ohonynt ar ôl, fe erys coffa da a diolchgar am O.R. Hughes.

Treuliais chwe blynedd ddedwydd yn yr hen ysgol yn Llanrwst. Bûm ar fy mantais yn ddirfawr o'm harhosiad yno, nid yn unig yn addysgol ond mewn llawer modd. Yn arbennig, yno y deuthum i 'nabod gyntaf nifer o gyfeillion oes.

Yng Ngorffennaf 1926 ffarweliais â hi, i gychwyn ym mis Medi'r un flwyddyn ar chwe blynedd ddedwydd arall yng Ngholeg y Brifysgol, Bangor.

Y Gymraeg ar y Radio

Fy llusgo gerfydd fy nghlustiau, megis, a gefais i, i ddechrau sgrifennu i'r BBC. A dyma fel y bu. (Cyfaddefaf ar y cychwyn bod fy nghof am ddyddiadau ac ati, yn bur annelwig.)

Roeddwn o 1933 ymlaen yn athro yn Nhal-y-bont, Dyffryn Conwy, ac er Pasg 1936 wedi ymgartrefu ym mhentref cyfagos Ty'n-y-groes, ac ymaelodi yng nghapel M.C. y fro. Gofynnodd (gorchmynnodd fuasai'n gywirach gair!) Pwyllgor Cymdeithas Lenyddol y capel imi fynd yn gyfrifol am ofalu am un o nosweithiau'r Gymdeithas tua dechrau'r flwyddyn 1937. Dyma'r cyfnod yr oedd y gwasanaeth Radio Cymraeg yn dechrau ymehangu a Sam Jones newydd ddod i Fangor i ofalu dros y gwasanaeth yng ngogledd Cymru.

Cefais innau'r weledigaeth lachar mai ffordd dda o ddiddanu'r Gymdeithas Lenyddol oedd cael 'noson o ddarlledu' – gosod 'corn siarad' yn y Festri, wedi ei gysylltu â meicroffon yn y stafell fechan yn y cefn. A chael rhyw dri neu bedwar o berfformwyr i gyflwyno sgit ar raglen radio – yn newyddion, rhagolygon tywydd, sgwrs, a thipyn o ganu (*Cerddi Digri*, Idwal Jones – a ddaethai allan o'r wasg yn 1934 – oedd i gyflenwi'r deunydd cerddorol). Pan ddaeth y noson fawr yr oedd y festri'n llawn i'r drws a phobl yn eistedd ar siliau'r ffenestri hyd yn oed. Ni wnaeth hynny ond ychwanegu at faint y drychineb a ddilynodd. Methodd y brawd o 'beiriannydd' a oedd wedi fy sicrhau yn llawen y gallai gael yr offer darlledu i weithio 'fel chwibanu', a chywiro ei addewid. Methodd â chael cymaint ag un wich allan o'r corn siarad. Aeth y weledigaeth fawr, a'r rhaglen a'r cyfarfod yn un fflop anachubol. Gallaf deimlo'r gwaradwydd y funud hon a phrysuraf i dynnu llen dros yr holl olygfa.

Crybwyllais yr hanes am un rheswm yn unig. Y pryd hwnnw yr oedd y diweddar Barch. Meic Parri yn weinidog ifanc newydd ei sefydlu yn ei ofalaeth gyntaf yng Nghapel Curig. Yr oedd Meic (a ddaeth cyn bo hir yn hysbys trwy Gymru fel un o arweinyddion medrusaf yr Eisteddfod Genedlaethol) yn un o'm ffrindiau pennaf er dyddiau Coleg – un o griw bywiog, talentog a lliwgar a lywiai fywyd Cymraeg Coleg y Gogledd yn y blynyddoedd rhwng 1925 a'r tridegau cynnar. Yr oedd Meic yn ddiddanwr amryddawn, yn ganwr penillion, yn adroddwr, yn storïwr dan gamp. Yr oeddwn innau wedi manteisio ar ei gyfeillgarwch trwy sicrhau ei wasanaeth ('tu ôl i'r llenni') yn y 'rhaglen radio' fondigrybwyll y soniais amdani.

Y noson honno yr oedd Meic yn bwriadu teithio ar y trên i Lundain – yr oedd achos 'Tri' Penyberth yn dod o flaen Llys yr Old Bailey drannoeth (Ionawr 13eg) ac yntau, fel cannoedd lawer o'i gyd-Gymry am fod yn bresennol. Addawswn innau ei ddanfon yn fy nghar i ddal y trên yng Nghonwy (roedd gorsaf yno y pryd hwnnw). Ar y ffordd meddai Meic wrthyf, 'Rydw i wedi addo i Sam Jones ofalu am raglen ysgafn erbyn y dyddiad a'r dyddiad – ga' i ddefnyddio peth o'r stwff oeddet ti wedi ei baratoi ar gyfer heno?' 'Wrth gwrs, os bydd o ryw fudd iti,' oedd f'ateb, a hynny a fu.

Ddiwrnod neu ddau wedyn cefais ddos enbyd o ffliw a'm cadwodd yn fy ngwely am dros wythnos. Tra roeddwn yn y dwymyn dyma imi lythyr o'r BBC ym Mangor, uwch enw Sam Jones, i'r perwyl yma:

'Deallaf oddi wrth Mr Meic Parri eich bod wedi addo ysgrifennu rhaglen ysgafn i'w darlledu o Fangor ar . . .'

Ni chofiaf mo'r dyddiad, ond yr oedd yn beryglus o agos, mater o ryw bythefnos mwy neu lai. Yr un bore daeth imi gontract oddi wrth y BBC yn cynnig imi £1.10 o ffi am sgrifennu'r rhaglen (swm tywysogaidd – i mi o leiaf – yn y cyfnod hwnnw!).

'Waeth heb a mynd i fanylion. Pan ges fy nhraed danaf a medru codi allan a dod (trwy gryn drafferth - cofier mai go gyntefig oedd gwasanaeth teliffon yr ardaloedd gwledig yr adeg honno) - i gysylltiad â Meic - bu tipyn o helynt rhyngom a geiriau go gryfion ar fy rhan i. Ond chwerthin a wnâi ef. Ni allai neb (ni ellais i erioed beth bynnag) ddal dig at Meic yn hir, ac er imi fygwth sgrifennu'n ddi-oed at Sam a'r BBC yn golchi fy nwylo o'r holl fusnes, y diwedd fu imi gytuno i fynd ati i lunio rhaglen - yr oedd angen tua deg o gerddi i'w canu - er nad oedd gennyf fawr syniad ple i ddechrau. Yn un peth, nid oeddwn (ac nid ydwyf) gerddor - ni allaf ddarllen nodyn nac mewn sol-ffa na hen nodiant, a'r unig ffordd y gallaf godi tiwn ydyw i rywun ei chanu imi. Sut bynnag, sicrhâi Meic fi y gwnâi'r alawon Coleg yr oeddwn wedi hen arfer â hwy'n cael eu canu gan fy nghyd-fyfyrwyr ym Mangor, y tro yn iawn. Euthum ati a chyfansoddi nifer o gerddi ar amrywiol destunau (cael y testunau oedd y gwaith cletaf).

Ni allaf bellach alw i gof ddim ond tair cân o'r rhaglen honno – a dim llawer mwy na theitlau dwy o'r rheini. Yr oedd cân arweiniol (a chân i gloi'r rhaglen ar y diwedd) ar y dôn *A-Roving* – Fflat Huw Puw i'r Cymry erbyn hyn. Cenais hefyd gân i'r 'Ffliw' (nad oeddwn wedi llwyr fwrw ei heffeithiau arnaf!) ar *There is a Tavern in the Town*. (Yr oedd llinell yng nghanol cytgan honno *'Adieu, Kind friends, adieu, adieu, adieu'* yn benthyg ei hun yn hwylus i'w haddasu at 'Y ffliw, y ffliw, etc.') Yr unig gerdd arall a gofiaf yw un ar y testun tra gwreiddiol 'Priodi, bobol bach' ar yr alaw ddigon Cymreig 'Gwnewch bopeth yn Gymraeg' ond â'r thema wedi ei benthyca yn ddigywilydd o gân 'Music Hall' Seisnig – *I wish I were single again*. Aeth gweddill o'r rhaglen i ebargofiant, ond yr un math o ddeunydd oedd y cyfan, er imi wneud ymdrech i gael cymaint o amrywiaeth thema ac alaw ag oedd bosib.

Cofier mai cwta bythefnos oedd yr amser oedd gennyf i orffen y cwbl, a hynny ar y min-nosau'n unig (yr oeddwn yn yr ysgol yn ystod y dydd) ac ar ben nifer o orchwylion eraill fel dosbarthiadau WEA. At y diwedd yr oedd Sam Jones, a phwy welai fai arno, yn anfon ar gyfartaledd, rhyw ddau deligram y dydd yn holi am y sgript, ond yr oeddwn wedi rhybuddio Meic Parri mai ei gyfrifoldeb ef oedd dyhuddo digofaint Sam, a lleddfu ei bryder, os gallai.

Sut bynnag, cyrhaeddodd y sgript a'r parti efo'i gilydd i rihyrsal toc ar ôl te ryw noson – noson o flaen y darllediad. Pan gyraeddasom Fryn Meirion prin y siaradai'r Pennaeth Rhaglenni â ni (a phwy eto a'i beiai?). Edrychai arnom fel bwgan, a chuwch enbyd ar ei ael.

Y peth cyntaf oedd yn rhaid ei gael oedd gwneud copïau o'r cerddi ar gyfer y criw. Miss Nan Davies, ysgrifenyddes Sam Jones ar y pryd - coffa da amdani - a gafodd y gwaith diflas o deipio'r cwbl oddi ar f'ysgrifen echrydus i. (Gwellhaodd y llawysgrifen honno rywfaint ar ôl hynny - bu'n rhaid iddi, gan na ddeallai'r plant y ceisiwn eu dysgu moni yn ei stad gyntefig.)

A'r parti oedd i fwrw'r deunydd cymysg hwn ar y cyhoedd diniwed? Yr oedd wyth ohonom i gyd. Dyma'u henwau: heblaw Meic Parri, yr oedd Arthur Tudno Williams (gweinidog Methodist ieuanc yn Y Fflint), Trebor Lloyd Evans (gweinidog Annibynwyr ym Mhenygroes, Arfon), Ifan O. Williams a Huw Llew Williams, y ddau'n efrydwyr yn Y Bala. Buasai'r pedwar hyn, fel finnau, yn gyd-fyfyrwyr yng Ngholeg Bangor am flynyddoedd. Y ddau arall oedd Emrys Cleaver deheuwr ifanc a ddaethai ychydig cyn hynny i weinidogaethu ym Modfari ond a adwaenwn yn dda ers blynyddoedd am ei orchestion fel canwr alawon gwerin yn eisteddfodau'r colegau, a T.J. Roberts o Gapel Curig, gweithiwr siop bryd hynny - ac ef a'i wraig yn cadw tŷ gweinidog i Meic, nad oedd eto'n briod. Chwith meddwl nad oes bellach o'r wyth ond tri ar ôl, A. Tudno Williams, Emrys Cleaver a minnau.

Huw Llew Williams oedd cyfeilydd y cwmni am nifer o'n rhaglenni cynnar. Cymerwyd ei le'n ddiweddarach gan bianydd swyddogol y BBC. Ni chawsai Huw hyfforddiant ffurfiol fel cerddor, ond yr oedd yn gerddor wrth reddf, ac yn gyfeilydd dihafal ar gyfer parti fel oedd 'Hogiau'r Gogledd'. Dyna'r enw a roed ar y criw – enw a ddaeth yn hysbys ddigon i wrandawyr yn y tair blynedd cyn yr Ail Ryfel. Gyda llaw, dylid cofnodi mai Sam Jones a fedyddiodd y parti â'r enw hwnnw.

I grynhoi, cafwyd hwyl ddi-fai ar y rihyrsal, ac erbyn ei diwedd, diolch i ansawdd canu y bechgyn, yr oedd Sam wedi lliniaru bron yn llwyr, ac yn barod i faddau i'r sgriptiwr ymarhous. Cawsom ymarfer arall yn union o flaen y darllediad nos drannoeth ac yna daeth y golau coch yn y stiwdio ac yr oedd 'Hogiau'r Gogledd' ar yr awyr am y tro cyntaf. Profiad i'w gofio. Os cofiaf yn iawn, Meic Parri a gyflwynodd eitemau'r rhaglen gyntaf honno – ond wedi hynny cefais i'r job, ac er i mi fygwth gwneud stomp o bethau unwaith neu ddwy trwy gyhoeddi eitemau allan o drefn, at ei gilydd, fe aeth pethau'n eitha didramgwydd.

Cafodd y rhaglen dderbyniad rhyfeddol o frwdfrydig. Cofier

mai newydd iawn oedd rhaglenni o'r fath, ac nad oedd y gwrandawyr wedi dysgu bod yn feirniadol. Ond mae *yn* ffaith i ugeiniau o lythyrau gyrraedd Bangor o bob cwr, yn enwedig o ogledd Cymru, a deuai cynifer o geisiadau am gopïau o'r caneuon at wasanaeth diddanwyr lleol, nes cyn bo hir inni orfod cyhoeddi na allem, er gofidio, ddal ati i ateb ymholiadau.

Bu 'Hogiau'r Gogledd' yn darlledu'n gyfnodol wedyn nes daeth yr Ail Ryfel Byd i roi taw ar y rhan fwyaf o ddarlledu Cymraeg. Credaf inni anfon allan naw neu ddeg o raglenni i gyd, ac er mai tuedd y sgriptiau hyd y diwedd, oedd cyrraedd ar y funud olaf, a bod Sam yn fy nghyfarch mewn iaith braidd yn borffor, ar brydiau, mi sylweddolais toc iawn nad oedd dim dicter gwirioneddol yn ei geryddon.

Bu'r 'Hogiau', neu rai ohonynt o leiaf, yn cyflwyno rhaglen neu ddwy yn y gwasanaeth radio i'r plant. Rhoes y Rhyfel derfyn ar hynny hefyd, wrth gwrs. Ond trwy flynyddoedd yr heldrin bu Emrys Cleaver a Meic Parry (ac Ifan O. Williams am gyfnod) yn canu'n rheolaidd yn y pnawniau i ddifyrru gwrandawyr ieuainc, a minnau'n cyfansoddi geiriau ar eu cyfer: rhyw dair cân ar y tro, er nad oedd y lleihad yn eu nifer yn peri eu bod yn cyrraedd yn ddim prydlonach! Y drefn arferol ynglŷn â'r sgriptiau hynny oedd bod Meic (yr oedd yn berchen car erbyn hynny) yn galw heibio imi i'w casglu ar y ffordd i'r rihyrsal y pnawn hwnnw.

Toc ar ôl y Rhyfel daeth Ifan O. Williams i weithio i'r BBC i ofalu am awr y plant, i ddechrau, ac yna i gynorthwyo rhaglenni cyffredinol. Yn y cyfnod hwnnw deuai cais yn weddol fynych am raglen o ryw fath – cerddi yn bennaf. Ond cyfrennais hefyd sgyrsiau, rhaglenni pynciol, rhaglenni i ysgolion, cyfraniadau i'r Noson Lawen enwog (deunydd amrywiol ar gyfer Charles Williams, T.C. Simpson, Meredydd Evans, Robin Williams, Cledwyn Jones, etc.). Cymerwn ran hefyd yn rheolaidd yn 'Ymryson y Beirdd' yn y gyfres boblogaidd honno a fu'n rhedeg am nifer o dymhorau – Sam Jones yn cynhyrchu, Ifan O. yn cyflwyno a Meuryn, wrth gwrs, yn feirniad unigryw.

Gair wrth fynd heibio. Yn Eisteddfod Genedlaethol Llanrwst 1951 yr oeddwn yn Gadeirydd y Pwyllgor Llên. Awgrymais i'r Pwyllgor drefnu 'Ymryson y Beirdd' yn y Babell Lên, rowndiau rhagbarataol o bnawn Llun i bnawn Iau, a rownd derfynol ddydd

Gwener. Rhoes y Pwyllgor eu cefnogaeth frwd, gweithiodd R. Pritchard Jones, yr ysgrifennydd llên, fel llew i drefnu'r holl beth, a bu'r arbraw yn llwyddiant tu hwnt. Yr oedd y Babell Lên (pabell ganfas yr adeg honno) yn orlawn bob prynhawn a'r hwyl yn fyrlymus – hynny i'w briodoli i raddau mawr iawn i asbri a ffraethineb y 'Meuryn' sef y diweddar Barch. William Morris. Yr oedd ef ar ei uchelfannau – ac ychwanegid at yr hwyl gan 'borthi' answyddogol gan ddau Fob, Bob Owen, Croesor a Bob Lloyd (Llwyd o'r Bryn) o'r seddau blaen. Dyma'r 'ymryson' cyntaf a gynhaliwyd mewn cysylltiad â'r Eisteddfod Genedlaethol – ond (gydag ychydig fylchau) fe'i cynhaliwyd yn flynyddol er hynny a deil i ffynnu ac i lenwi a gorlenwi'r Babell Lên er bod y babell ei hun wedi cynyddu cryn dipyn o ran maint, a newid o ran deunydd a chynllun rhagor dyddiau Llanrwst 1951.

Nid yw'r sylwadau uchod mor amherthnasol â'r BBC ag y gellid tybio. Ni fwynhaodd neb mo'r Ymryson yn Llanrwst yn fwy na Sam Jones, ac fel bob amser yr oedd ei lygad a'i feddwl bywiog yn chwilio am syniadau newydd ar gyfer y gwasanaeth radio o Fangor.

Aeth adref o Eisteddfod Llanrwst wedi gwneud dau benderfyniad.

Un oedd y byddai ffeinal 'Ymryson y Beirdd' y BBC o hynny allan, os oedd modd yn y byd drefnu, yn cael ei chynnal ym Mhabell Lên y Brifwyl, yn ystod wythnos yr Eisteddfod. Ac felly y bu am flynyddoedd.

Yr ail benderfyniad oedd y mynnai gychwyn cyfres o raglenni cystadleuol lle y câi afiaith a hiwmor William Morris eu cyfle. Dyna a roes fod i'r gyfres honno y bu cymaint mynd arni yn y pumdegau cynnar 'Pawb yn ei dro', a William Morris yn feirniad heb ei ail.

Y tymor cyntaf i'r gyfres ('52 – '53 oedd hynny) y drefn oedd: tîm sefydlog o dri yn mynd allan i wahanol ardaloedd i herio timau lleol. John O. John (Porthmadog), Llwyd o'r Bryn a minnau oedd y tri heriwr. Ifan O. oedd yn cyflwyno a rhwng ei ddawn ef a ffraethineb a naturioldeb digymar y beirniad, bu hwyl ar y gyfres ac ar y rhai a'i dilynodd. Ar ôl y tymor cyntaf ni bu tîm sefydlog, ond parhaodd yr ymrysonfeydd, a thimau lleol yn cystadlu â'i gilydd mewn rowndiau rhagbarataol a brwydr derfynol rhwng y ddau dîm goruchaf. Cefais innau ran yn y gornestau hynny fel aelod o dîm Llanberis – tîm a ddaeth i'r brig, gan gael y llaw uchaf mewn gornest gofiadwy yn erbyn tîm Llangefni, dan gapteniaeth hwyliog Rolant o Fôn. Gallwn adrodd cryn dipyn am yr hwyl a'r troeon digrif yn ymrysonau 'Pawb yn ei dro' ac ar y siwrneiau iddynt ac ohonynt – ond aeth y sylwadau hyn a gormod lawer o ofod.

Dylwn gyfeirio at un rhaglen arall, sef 'Cam-gymeriadau' a fu'n rhedeg o 1952 hyd 1955. Yr oedd Ifan O. Williams wedi bod ers sbel yn sôn am gychwyn cyfres yn Gymraeg ar linellau tebyg i 'Itma', 'Much-Binding-in-the-Marsh', a'r cyffelyb a oedd mor boblogaidd yn Saesneg. Mynnai imi drio fy llaw ond 'Fedra'i i ddim' oedd f'ateb. Ond, fel y weddw daer yn y ddameg, ni fynnai Ifan mo'i nacau. Yn y diwedd er mwyn cael llonydd yn fwy na dim, mi ildiais. Wedi peth trafod rhyngom ein dau, dyfeisiwyd sefyllfa (gwbl anhygoel mae arnaf ofn) sef ysgol tra arbennig, 'Yr Academi Gyflym' - gwelliant ar y 'Colegau Brys', Prifathro Od, dim ond un disgybl - a nifer o gymeriadau ecsentrig eraill yn dod i mewn ac allan yn eu tro. Nid oedd y cwbl wrth gwrs ond esgus i gyflwyno rhesi o jôcs, a dibynnai'r holl beth ar fedr y perfformwyr i gael y rheini trosodd. Pwy oedd y tîm: wel, Emrys Cleaver (Professor Perkins), Charles Williams (Sami), Nesta Harris (Mrs Vacuum Evans, dynes lanhau'r ysgol), Ieuan Rhys Williams (Cyrnol Sandbag - Cadeirydd y Llywodraethwyr), T.C. Simpson (y Postmon), a Megan Rees (Sali Folatili o'r ysgol ferched gyfagos). Daeth eraill, fel Conrad Evans a Richard Hughes (Y Co' Bach), i mewn yn ddiweddarach, ac wrth gwrs yr oedd egwyl gerddorol yng nghanol y rhaglen a Sassie Rees yn cyflwyno cân o gyfansoddiad Islwyn Ffowc Elis - yn fiwsig a geiriau - a chyda chymorth Harold Dobb a'i fand a chôr Dyffryn Nantlle, dan arweiniad C.H. Leonard.

Ar ysgwyddau Charles y disgynnai'r baich trymaf; ef oedd dolen gyswllt y rhaglen, ac yr oedd ar y llwyfan o'r dechrau i'r diwedd. Petai ef yn methu byddai pawb yn methu, ond un dibynnol iawn oedd ef. Os oedd ambell jôc yn wan (ac yr oedd amryw byd oedd yn rhy wan i fod allan o gwbl), gallai Charles anadlu rhyw fath o anadl einioes i'r rhai truenusaf. (Wrth fynd heibio, a oes actor – a fu actor – yng Nghymru a chanddo gyn sicred synnwyr *amseru* â Charles?)

Diolch iddo fo, a'r criw talentog o'i gwmpas, fe gafodd y gyfres groeso difai gan y beirniaid a'r gwrandawyr. A chan y cynulleidfaoedd hefyd, oblegid dylid cofio nad o stiwdio yr ai'r rhaglen allan, ond o neuaddau cyhoeddus gwahanol ardaloedd yn y gogledd (Deganwy, Penmaenmawr, Tal-y-bont [Conwy], Blaenau Ffestiniog, Cricieth, Gwalchmai, etc. etc.). Byddwn innau'n trio gwau cyfeiriadau lleol i mewn i'r deialog bob tro y gellid. Peth arall, os doi cyfle, pan fyddai rhywbeth go syfrdanol yn y newyddion, hyd yn oed ar fore'r darllediad, byddwn yn ceisio llunio jôc amdano, a'i theliffonio i Ifan i'r rihyrsal er mwyn ei chynnwys yn y darllediad y noson honno. Enghraifft a gofiaf yw'r adeg y cyhoeddwyd y newydd cyffrous fod y ddiweddar Fonesig Megan Lloyd-George wedi ymuno â'r Blaid Lafur. Cof byw gennyf fynd i fwth teliffon yng Nghwm Penmachno i ffonio trwodd i le bynnag yr oedd ymarfer 'Camgymeriadau' yn mynd ymlaen, ryw sylw ynglŷn â'r digwyddiad - cyfeiriad ydoedd rwy'n meddwl at y dywediad 'Mewn llafur mae elw'. Tebyg nad oedd y jôc yn un rymus iawn, ond yr *oedd* yn help i roi'r argraff mor yp-tw-dêt oedd y rhaglen.

Roedd paratoi 'Camgymeriadau' yn dipyn o straen. Myfi fy hun oedd yn casglu'r holl ddeunydd (roedd angen digon i lenwi tua deunaw i ugain dalen ffwlscap – cyfartaledd o ryw hanner dwsin o jôcs am bob tudalen) - a rhoi siâp ar y deunydd hwnnw wedyn. A chofier hyn, bu'r rhaglenni, ar un cyfnod o leiaf, yn mynd allan bob pythefnos. Nid rhyfedd y byddwn yn aml y noson cyn dyddiad y rihyrsal yn gorfod gweithio trwy'r nos a chyn amled â pheidio mynd i ddanfon y sgript i Fangor yn blygeiniol drannoeth er mwyn i'r teipyddion druain gael darparu copïau i'r actorion erbyn y pnawn.

Yng ngeiriau 'Jac Terrible', y cymeriad lliwgar a fyddai'n cynorthwyo fel 'scene-shifter' a handiman i Gwmni Drama Cymraeg y Coleg ers talwm, 'Mae'n syn mod i'n fyw'.

Gyda llaw, un o ganeuon mwyaf poblogaidd 'Hogiau'r Gogledd' oedd un wedi ei hysbrydoli'n uniongyrchol gan y dywediad hwnnw, y byddai Jac yn gorffen ag ef bob un o'r sgyrsiau (yn disgrifio anturiau amryfal ei fywyd cyffrous – ai gwir ai dychymyg, ni wyddai neb, os gwyddai ei hun).

Mae'n hen bryd cau pen y mwdwl blêr hwn o atgofion. Wedi dod 'Camgymeriadau' i derfyn mi fûm o bryd i'w gilydd yn parhau i sgrifennu sgriptiau – Cyfres 'Huws and Co', Ifan O. yn cyfarwyddo eto, un arall 'Y Dafarn Goffi', a gyfarwyddai Gwyn Williams (yn y chwedegau yr oedd hyn). Gwnawn ambell gyfraniad i'r 'Noson Lawen' enwog a ai allan o Neuadd y Penrhyn. Cofiaf hefyd i Evelyn Williams, pan ofalai am awr y plant gyflwyno rhaglen o'm gwaith, 'Sôn am Wili John' (y miwsig gan James Williams). Hon, o gofio, yr unig sgript erioed imi ei chyflwyno i'r BBC, heb gael ei chomisiynu. Erbyn y chwedegau yr oedd teledu'n prysur dod i fri, ac er i Ifan O. Williams geisio fy symbylu i sgrifennu ar gyfer y cyfrwng hwnnw, ni chafodd fawr lwyddiant. Nid oedd y cyfrwng newydd yn apelio ataf a bu'r ychydig ymdrechion a wneuthum i ddod i delerau ag ef, bron yn gymaint o fflop ag a fu'r rhaglen drychinebus honno yn festri capel Ty'n-y-groes, a roes fod, yn anfwriadol i 'Hogiau'r Gogledd' yn 1937.

Atgofion a yrrodd R.E. at R. Alun Evans
oedd yn paratoi'r gyfrol ar *Babi Sam*

Ysgrif bortread

gan R.J. Evans

Dychwelyd adref gyda nos o haf yn gynnar yn y dauddegau yr oeddwn pan ddywedodd fy modryb yn sydyn, 'Drycha i fyny fancw. Dyna i ti Bob Rhwng-y-ddwyffordd efo'i lyfra. Mae o'n gneud yn dda yn y Cownti cofia.' Ac mi welwn lefnyn ifanc yn eistedd ar graig uwchben y ffordd yn pori mewn rhyw lyfr neu'i gilydd. Dyna'r olwg cyntaf i mi ei gael ar un a ddaeth yn adnabyddus iawn trwy'r Gymru Gymraeg benbaladr ymhen ychydig flynyddoedd wedyn fel 'R.E. Jones' neu'n syml ymhlith ei gydnabod fel 'R.E.'.

Wedyn clywed sôn amdano ar yr aelwyd gartref. Dôi'r teulu i gyffyrddiad ag ef a'i fam yn y farchnad yn Llanrwst. Am fod ei fam yn drwm iawn ei chlyw, fo fyddai yn cyfathrebu rhyngddi â phobl y stryd a'r siopau a byddai canmol mawr arno am ei ddeheurwydd. Yn ddiweddarach clywais ei hanes yn ymweld â llyfrgell ein capel ac yn darllen o gyfrolau 'Cymru' O.M. Edwards, a byddai'n cyfeirio wrthyf at lawer o lyfrau eraill, Cymraeg a Saesneg a ddarllenodd yn ystod yr egwylau hynny.[1]

Ymhen yrhawg, cyrhaeddais innau'r Cownti bondigrybwyll. Roedd R.E. wedi ymadael â'r lle ers dwy flynedd ond parhâi'r sôn am ei gampau ysgolheigaidd yn fyw yno. Tynnodd cyfaill fy sylw at lun ohono yn ystafell yr athrawon un diwrnod a dyma finnau'n dweud yn ddoethinebus, 'Hen stiw oedd o'nte!' 'Gwarchod nage,' meddai yntau, 'Doedd dim rhaid iddo fo stiwio weldi, roedd digon yn ei ben o, a digon o hwyl i'w gael efo fo hefyd'. Gwir bob gair fel y profais wedyn.

Ymhen ysbaid o flynyddoedd wedyn, dyma O.R. Hughes yr Athro Cymraeg yn dod ar wib yn ôl ei arfer ac yn anelu amdanaf. Roedd rhyw gochni o gwmpas ei wegil a chrych ar ei drwyn yn darogan storm. 'Yr hogyn R.E. 'na,' cyfarthodd, 'mi ddyla fod yn ddarlithydd yn y Coleg 'na rŵan. Dydi o ddim wedi gweithio,' ac i ffwrdd â fo cyn i mi gael cyfle i holi pam na be! Roedd y ffrwydrad yn ddirgelwch i mi ar y pryd ond fe ddaeth goleuni yn y man.

Gweithiwr cyffredin oedd y tad, ac R.E. oedd yr ieuengaf o dri o hogiau a gafodd gychwyn da er gwaetha'r caledi. Aeth John Thomas ac Owen yn athrawon ac enillodd J.T. Jones enwogrwydd fel bardd (englyn 'Y Llwybr Troed'), a chyfieithydd dramâu Shakespeare. Ond addysg Seisnigaidd dros ben a gawsant yn yr Ysgol Eglwys yn Llangernyw fel yr edrydd R.E. yn y llyfryn *O Lan i Lan*, a diau i'r profiad chwerw hwnnw droi'n benderfyniad diysgog i geisio unioni'r camwri a'r sarhad a wnaed â'i genedl. Y cartref a'r capel a'i cadwodd yn ddihangol gan roddi sylfaen gadarn i'w Gymreictod ac nid anghofiodd hynny weddill ei fywyd. Ac mae'n rhaid cofio hyn mi dybiaf pan ystyriwn mor egnïol a diarbed yr ymroes ar draul pob hunan-les i wasanaethu y gymdeithas a'r etifeddiaeth Gymraeg.

Fel yr awgrymwyd eisoes cafodd R.E. yrfa ddisglair yn Ysgol Ramadeg Llanrwst gan ennill Ysgoloriaeth y Wladwriaeth oddi yno i Goleg y Brifysgol Bangor.[2] Wedyn cyfaddefodd wrthyf fe'i bwriwyd i fwrlwm bywyd cymdeithasol a gwleidyddol y Coleg – cyfnod y deffro cenedlaethol ac ieuenctid y Blaid Genedlaethol ydoedd. Ymatebodd yn afieithus i'r cwbwl, gan ymdaflu i weithgarwch y Blaid, annerch cyfarfodydd o bob math, helpu J.E. Jones i sicrhau buddugoliaeth i'r Blaid yn etholiad y myfyrwyr, helpu i dynnu Jac yr Undeb oddi ar Dŵr yr Eryr yng Nghaernarfon a chyhwfan y Ddraig yn ei lle, ennill y Gadair yn Eisteddfod y Myfyrwyr[3], a chael ei ddewis yn Llywydd y Myfyrwyr ym Mangor, ac yn Llywydd Myfyrwyr Prifysgol Cymru.

A dioddefodd ei astudiaethau. Y flwyddyn gyntaf ym Mangor, doedd dim angen iddo wneud dim – roedd eisoes meddai, wedi ei wneud o dan ei athrawon penigamp yn Llanrwst – y clasuron dan y prifathro H. Parry-Jones, a'r Gymraeg dan yr anghymharol O.R. Hughes. Ni fu'n rhaid iddo chwysu yr ail flwyddyn chwaith,[4] ond erbyn y drydedd, gadawsai bethau yn rhy hwyr a llithrodd y Dosbarth Cyntaf o'i afael. Doedd ryfedd yn y byd i O.R. Hughes golli ei limpin y bore hwnnw yn yr ysgol yn Llanrwst. Wedi cyfnod yn cynorthwyo J.E. Jones yn Swyddfa'r Blaid yng

Nghaernarfon, daeth yn athro yn yr Ysgol Ganol yn Nolgarrog, Dyffryn Conwy, a dyna'r pryd y cefais y fraint o ddod i'w adnabod yn dda.[5]

Wedi cyffro helynt yr Ysgol Fomio yn Llŷn, y llosgi a'r llysoedd ac iwfforia'r Cyfarfod Croeso'n ôl i'r Tri yng Nghaernarfon daeth cysgodion rhyfel i fygwth dadwneud yr ymchwydd cenedlaethol. Ofer fu ymgyrch lwyddiannus Deiseb yr Iaith, esgorodd ar erthyl ac ymateb i hynny oedd pamffled R.E. 'Bradychwyd y Ddeiseb'. Beth oeddym fel cenedlaetholwyr i'w wneud yn wyneb yr alwad i ryfela, ymuno o lwyrfryd calon â'r ymgyrch heb unrhyw ystyriaeth na sicrwydd amddiffyniad i arwahanrwydd cenedl y Cymry ynteu datgan doed a ddelo bod ein teyrngarwch blaenaf i Gymru a mynnu'r hawl i benderfynu fel cenedl a oeddym yn plygu i orfodaeth filwrol o Lundain neu beidio? Penderfynu sefyll wnaed a dyna lle bu R.E. yn gawr yn ein plith, nifer o bleidwyr ieuainc yn Nyffryn Conwy, yn ein gwarchod rhag gwneud dim yn rhyfygus, ac yn ein cynghori ar y modd gorau i osod ein dadleuon gerbron y Tribiwnlysoedd a sefydlwyd ar gyfer gwrando ar Wrthwynebwyr Cydwybodol i'r Rhyfel. Dangosai mai sail foesol Gristnogol oedd i'n dadl fel cenedlaetholwyr, sef y ddyletswydd a'r hawl i bob cenedl, fawr a bach gael rhyddid i benderfynu ei thynged ei hun. Yn ogystal, roedd ef ei hun yn heddychwr Cristnogol a chymerodd ef y ddwy ddadl pan ymddangosodd 'gerbron ei well'. Fe dderbynid y ddadl heddychol ond teflid y rhai ohonom a safai ar dir cenedlaethol yn unig allan neu i wneud rhyw 'waith cenedlaethol' arall.

Yn naturiol roedd ein safiad yn ein tynnu yn glos at ein gilydd a chyfarfyddem i bwyllgora o dan lywyddiaeth R.E. yn Llanrwst neu i seiadu yn nhŷ Wil Berry yn y dref honno. Un tro fe ddatblygodd yn sesiwn o dorri gwalltiau ein gilydd a'm braint i fu ceisio cymoni o gwmpas clustiau R.E. gan nad oedd angen trafferthu efo'r gweddill! Derbyniai'r tynnu coes yn llawn hwyl, un felly oedd yn afieithus o hwyliog bob amser.

Cynhwysodd ni i fynd i'r Ysgol Haf yn Llanbedr Pont Steffan. 1942 oedd hi ac heb obaith cael petrol i'r daith ac felly ar feics bach yr aethom dros gan milltir un ffordd ac R.E. cyn ieuenged ei asbri a chwimed ei duth â'r un ohonom. Cysgu ar lawr caled festri capel a chodi drannoeth mor ystwyth â'r ewig.[6] Dro arall wrth fynd i

Bwyllgor Gwaith yn Aberystwyth mewn car, wedi llwyddo i gael petrol, dechreuodd yr hen Ffordyn ferwi yng Nghwm Hafod Oer, a ninnau heb affliw o lestr i godi dŵr o'r afon. Trôdd R.E. ataf ac meddai'n chwareus, 'Mae dy het di yn dal dŵr glaw, ac os deil hi ddŵr allan mae hi bownd o'i ddal oddi mewn hefyd'. Ac felly y bu, gwnaeth yr het ei gwaith yn odidog. Wrth ddychwel o Aber un nos Calan fe aethom i storm eira a methu torri drwodd i Ddyffryn Conwy trwy Fwlch Gorddinan nac i fyny Nant Gwynant a gorfod cwmpasu Caernarfon. Prynu clamp o baced o sglodion tatws yn y fan honno a dyna fy ngwaith i wedyn oedd bwydo R.E. bob yn ail sglodyn â finnau. 'Un i ti ac un i fi' oedd hi a dychmygu'r stori am y ddau ledir yn rhannu'r ysbail dros wal y fynwent a rhyw ymdeithydd yn cael braw ei fywyd wrth glywed y diafol a duw yn rhannu eneidiau'r marw rhyngddynt, 'Un i ti ac un i fi' – hwyl fawr.

Wrth gwrs roedd R.E. wedi bod yn amlwg ers blynyddoedd gyda rhaglennni Hogiau'r Gogledd ar y radio, yn paratoi sgriptiau a chaneuon digri ar gyfer rhaglen Sam Jones a'r Nosweithiau Llawen o Fangor. Clywswn ei gyfoedion ysgol yn dweud fel y byddai'n cyfansoddi penillion digri wrth chwynnu maip ar ffermydd y fro[7] – 'The child is father to the man', fel y dywed Wordsworth. Fel roedd yn dra hysbys ymhlith ei gyfeillion, ar y funud olaf un y byddai'n paratoi deunydd y Nosweithiau Llawen gan aros ar ei draed nos i'w gorffen mewn pryd a Sam Jones ar bigau drain yn disgwyl amdano. Fe gyhoeddwyd detholiad o'r Caneuon Digri yn 1967.

Yr hyn sy'n nodweddu cynhyrchion llenyddol R.E. Jones ydyw ei ymglywed â rhin geiriau a theithi'r iaith Gymraeg. Tân ar ei groen oedd iaith lwgr neu fynegiant aneglur. Dyfyniad yr oedd yn hoff ohono oedd o'r llyfr *Cwyn yn erbyn Gorthrymder*, Thomas Roberts, Llwynrhudol, 'y peth fydd berarogl mewn un iaith a ddrewa wrth ei gyfieithu yn ôl y lythyren i iaith arall'. Roedd ganddo feddwl y byd o'i hen athrawon, O.R. Hughes yn Llanrwst a Syr John Morris-Jones a Syr Ifor Williams, Bangor ac ni fu'n brin o amddiffyn Syr John yn y wasg rai troeon. Byddai'n barod iawn i'n cywiro ni, ei gyfeillion, petai raid, ond oherwydd ei natur fwyn a'i hawl gydnabyddedig fel ysgolhaig yn ein plith, ni ddigiai mohonom. Does ryfedd yn y byd iddo fynd ati i gasglu idiomau'r iaith ac iddo ennill Gwobr Llandybïe ar gasgliad ohonynt gyda nodiadau yn Eisteddfod Genedlaethol Dyffryn Clwyd 1973 o dan feirniadaeth ganmoliaethus Lyn Davies. Cyhoeddwyd dwy gyfrol o *Idiomau Cymraeg* – y gyntaf yn 1975 a'r llall yn 1987. Yn y rhain cafodd y genedl brawf o'i ysgolheictod a blas ar droadau ymadrodd yr iaith. Mae'r dyfyniadau wedi eu casglu o tua dau gant o lyfrau a ffynonellau – clasuron yr iaith, ac yn ffrwyth cof eithriadol. Cofiaf iddo ofyn i mi un diwrnod, 'Ydi *Olion*, T.H. Parry-Williams genti dŵad. Rydw i wedi colli 'nghopi. Mae'r idiom yma (a dyfynnodd) ynddo a mi hoffwn fod yn hollol siŵr mod i'n gywir.' Mae'n gymaint ag y medr meidrolyn gofio cynnwys ysgrif heb sôn am yr idiomau sydd ynddi!

Yr hyn na ŵyr llawer ond ei gyfeillion agosaf ydi iddo gyhoeddi llyfr o'r enw *Tipyn o Joc* o dan yr enw ffug E.R. Walters gyda llun anosbarthus o'r awdur y tu mewn. Dyma enghraifft: 'Roeddwn i'n nabod dy wraig di cyn i ti ei phriodi. Dyna lle roeddet ti'n lwcus. Doeddwn i ddim.' Afiaith y plentyn direidus yn mynnu torri trwodd a'i gred bod i'r digrif yn ogystal â'r difrif ei le ym mywyd dyn a barodd iddo gyhoeddi'r llyfr yn 1981 ac i ddysgu'r Cymry i gymryd eu digrifwch o ddifri fel y dywedodd Idwal Jones, Tregaron.

Mae'r un doniolwch ynghyd â llawer o ddwyster i'w cael yn y casgliad o 'brydyddiaeth gynghaneddol' a gyhoeddodd yn ddiweddar ar ei oes. 'Nid yn hollol ddigymell yr euthum ati,' meddai yn nodweddiadol ddiymhongar yn ei ragymadrodd i *Awen R.E.*, 1989. Mae'r llyfr yn diweddu gyda'r englynion coffa i 'J.E. – Tros Gymru', y gellir dweud amdanynt eu bod yn adlewyrchu bywyd R.E. ei hun.

Dolur ei wlad a welodd – a gwarthrudd
    Ei gorthrwm a'i clwyfodd;
    I'r frwydr fawr (dewr ei fodd)
    Am ei rhyddid ymroddodd.

Roedd ei holl fywyd yntau yn fynegiant o'i gariad at ei wlad – ei diwylliant a'i chrefydd. Bu'n flaenor ym mhob ardal y bu'n gwasanaethu ynddi, Ty'n-y-groes, Cwm Penmachno, Llanberis, ac yna pan ymddeolodd, yn Llanrwst, ei henfro. Yn ogystal bu'n athro Ysgol Sul cymeradwy, ac yn llanw bylchau pan fyddai galw am bregethwr.

Cymerai ddosbarthiadau i oedolion – ar lenyddiaeth Gymraeg neu'r cynganeddion. Magodd do o feirdd ifainc yn Nyffryn Conwy, megis y Prifardd Myrddin ap Dafydd. A hefyd fe symbylodd y rhai hŷn i gyhoeddi detholiad o'u gwaith – *Wyth ugain o Englynion* 1973. A'r cwestiwn mawr a ofynnai ei edmygwyr oedd pryd y byddai yntau yn codi i alwad y Corn Gwlad yn y Brifwyl. Yr unig gasgliad y deuem iddo oedd ei fod naill ai'n rhy brysur gyda'i weithgareddau eraill neu yn ei gadael hi yn rhy hwyr. Fel gŵr parod ei gymwynas, deuai pobol ato gyda'u hanawsterau, ac anaml y siomid neb. Ac yn sicr nid oedd gwrthod pan ddelai y Blaid ar ei ofyn.

Cofiaf yn dda am Etholiad 1966, yr ysbryd yn isel yn y Blaid. Elystan Morgan wedi'n gadael a chenedlaetholwyr Etholaeth Conwy yn barod i laesu dwylo ac yn gwrthod ymladd, ac Elwyn Roberts, yr Ysgrifennydd Cyffredinol yn dweud yn benderfynol, 'Mi wnaiff R.E. sefyll neu mi wna i fy hun.' Ac R.E. yn ufuddhau fel yr oedd wedi gwneud ddwywaith o'r blaen yn Arfon. Dro arall roedd arnom angen siaradwr i fynd i Ddyserth yn yr hen Sir Fflint i sefydlu cangen. 'Mi ddo i efo ti ond gad i ni fynd i glywed De Valera yng Nghaernarfon gynta.' Felly bu. Ar y ffordd o Gaernarfon i Ddyserth y noson honno, yng nghyffiniau Mochdre, dyma fo'n dweud yn sydyn, 'Wnawn ni ddim siarad am sbel imi feddwl beth i'w ddweud.' Wrth adael Colwyn, 'Dyna fi rŵan, rwy'n credu y gwna i.' Ac felly y bu, siarad yn goeth ac argyhoeddiadol yn Saesneg a sefydlu cangen yn Nyserth.[8]

Roedd ganddo ffordd liwgar o annerch i gael ei bwynt drosodd. I symbylu ei gynulleidfa i werthfawrogi eu tras a'u Cymreictod ac i anghofio'u gwaseidd-dra, byddai'n dweud rhywbeth tebyg i hyn, 'Cofiwch fod gennym orffennol cyfoethog iawn. Yn wir gellir dweud yn ddibetrus ein bod yn bobol wareiddiedig pan oedd y Saeson yn rhedeg yn wyllt yn y fforestydd ac yn trigo mewn ogofâu.' Ymhen ysbaid amser roeddwn yn gweithio ymhlith criw o Saeson, gweithwyr ffordd cyhyrog lysti, ac ar bryd bwyd yn y caban un diwrnod fe ddechreusant ddilorni y Cymry. Yn sydyn clywn fy hun yn eu herio 'You're wrong. We Welsh were a civilized people when you

English were running wild in the forests and living in caves.' Cefais fraw fy mywyd a disgwyl ymosodiad ffyrnig. Ond na! Tawelwch llethol ac mewn munud neu ddau trodd pawb allan i'w waith. A oedd yr hen Emrys ap Iwan yn gywir tybed pan haerodd na cheid parch gan Sais heb ei golbio'n dda?

Nid un oedd R.E. i ddal ei ddwylo'n segur ac roedd yn chwim i weld cyfle i hybu delfryd. Efo pan oedd yn Gadeirydd Pwyllgor Llên Eisteddfod Genedlaethol Llanrwst 1951 oedd yn gyfrifol am gael Ymryson y Beirdd i'r Babell Lên am y tro cyntaf. Bu'n dadlau'n daer y pryd hynny hefyd am well cydnabyddiaeth i enillydd y Fedal Ryddiaith a bu peth gwelliant wrth gyflwyno'r Fedal ar y llwyfan y flwyddyn honno i Islwyn Ffowc Elis. Gweld angen a barodd iddo lafurio i gasglu idiomau Cymraeg at ei gilydd. Gwelodd yr angen am werslyfrau Cymraeg i blant yr ysgolion elfennol (cynradd bellach) a lluniodd ef ac O.M. Roberts rai yn y tridegau – ar Rifyddeg etc. yn rhagflaenu toreth ohonynt erbyn heddiw, diolch byth. Hyd yn oed yn niwedd ei oes pan gaethiwyd ef i'r gadair, bu wrthi'n ddygn gyda help Sion, y mab, yn cyfieithu diarhebion o wahanol ieithoedd i'r Gymraeg. Gallasai'n hawdd fod wedi ennill anrhydeddau iddo'i hun, ond ni chredaf fod hynny'n mennu dim arno gan fod lles ei iaith ac urddas ei genedl yn cyfrif llawer mwy iddo.[9] Yn ôl safonau heddiw gellid dadlau ei fod fel dilynwr Syr John yn cadw'n rhy gaeth i reolau gramadegol yr iaith, ond mi gytunwn ag ef fod y llacrwydd presennol yn ymylu ar y di-chwaeth.

Down yn ôl eto at ddicter O.R. Hughes ei hen athro Cymraeg yn Ysgol Rad Llanrwst. A oedd R.E. wedi afradu ei ddoniau ysgolheigaidd ac onid yn y bywyd colegol academaidd y dylasai fod ac yntau wedi ei gynysgaeddu o'r bru â galluoedd meddyliol arbennig? Pechod parod edmygydd ydi amddiffyn ac weithiau gor-ganmol ei gyfaill a phwy a faidd fy nghondemnio am syrthio i'r amryfusedd hwnnw, wedi imi gael y fraint o'i adnabod ac o fod yn dyst i'w weithgarwch diarbed dros ei iaith a'i wlad ac o'i hynawsedd tuag at rai llai galluog nag ef ei hun – yr isel radd – a'i gariad at ei gyfeillion a'i deulu yn arbennig.[10] Yn ôl llyfr Ecclesiasticus rydym i ganu mawl 'i wŷr o fri. Bu rhai'n cyfarwyddo'r bobl â'u cynghorion, ac â'u dealltwriaeth o addysg y bobl yn hyfforddi â geiriau doeth'. Ychwaneger at y geiriau yna, fesur da o hiwmor a direidi'r plentyn a dyna grap ar gymeriad R.E.

1994

Nodiadau, Ychwanegiadau, Cywiriadau a phob –adau eraill

1 Dywedodd wrthyf hefyd y byddai'n dwad yn aml i'r Pandy i glywed y Parch. J. Llywelyn Hughes yn pregethu. Gwasanaethodd Llywelyn Hughes yn y fyddin yn y Rhyfel Byd Cyntaf ac roedd yn un o'r cnwd myfyrwyr ym Mangor a ysgogwyd gan y deffroad cenedlaethol. Yn ei gyfnod ef yn y Pandy y sefydlwyd Cangen o'r Blaid Genedlaethol – y seithfed trwy Gymru gyfan yn 1926. Roedd yn bregethwr coeth a dilynodd Thomas Charles Williams ym Mhorthmadog.

2 Mae llun ohono ar gael gyda'r Prifathro a rhai o reolwyr yr Ysgol yn dathlu'r amgylchiad arbennig hwnnw. Cafodd yr holl ysgol ddiwrnod o wyliau ar gorn y llwyddiant hefyd.

3 Cadair Eisteddfod y Coleg ddwywaith a Chadair a Choron yr Eisteddfod Gyd-Golegol.

4 Ei gyfaddefiad wrthyf – synnwn i ddim na chadwodd yn glir o weithgareddau'r Blaid etc. y drydedd flwyddyn chwaith!

5 Tal-y-bont gyntaf.

6 Dyna'r pryd y cawsom y fraint o gyfarfod â chewri'r Blaid, Saunders Lewis, D.J. Williams, Kate Roberts a Morus Williams, a nifer o rai iau o'r un oedran â ni, Wynne Samuel, Jac Williams, Llanystumdwy, Emyr Humphries etc. Roedd R.E. yn hen gyfarwydd â'r rhai cyntaf.

7 Cefais y pennill hwn gan un o'r criw – Jo Llannerch Felys (Joseph Williams, Cae'r Groes, Llanrwst wedyn). Gwaith R.E. tua'r wyth/naw oed:

O noswyl rwyt ti'n nesu
'Rol hir ddisgwyl rhwng y rhesi,
Ifan a Robin a thri hogyn
Sydd yn disgwyl bob munudyn.

Mae'n bosib mai ar dir Llwyn Du Isaf y Pandy, cartref R. Dewi Williams y bu'r chwynnu maip. Roedd gan R.E. dipyn o feddwl o Dewi. Er yr holl ddilorni ar ei ryddiaith yn Clawdd Terfyn, mae R.E. yn dyfynnu ohono yn ei lyfr 'Idiomau'.

8 Does ond rhyw ddwy filltir/dair rhwng y ddeule ac yn dreifio trwy drafnidiaeth Bae Colwyn – ei feddwl yn gweithio ar ddwy donfedd! Pa syndod bod Sion yn trafod 'meddalwedd' a phethau astrus felly!

9 Mae lle cryf i gredu bod ei ymlyniad wrth y Blaid a'i wrthwynebiad i ryfel wedi bod yn dramgwydd iddo ennill lle mwy anrhydeddus yn ei yrfa athrofaol. Bu'n ymgeisydd am y swydd o Athro Cymraeg yn Ysgol Ramadeg

97

Llanrwst i ddilyn ei hen athro O.R. Hughes yr oedd ganddo'r fath feddwl ohono. Buasai wedi llenwi'r swydd i'r ymylon, does dim dwywaith am hynny (heb amarch i'r un a gafodd y swydd). Bu'n rhaid iddo fodloni ar fod yn Brifathro Ysgol Elfennol (gynradd) Cwm Penmachno, er ei fod yn cyfaddef mai dyna gyfnod dedwyddaf ei fywyd ymhlith cymdeithas glos a diwylliedig y Cwm fel yr oedd y pryd hynny cyn i'r chwarel gau a gwywder diboblogi ddifrodi'r lle. Ond O'r golled.

10   Byddai Jac Llanystumdwy, awdur *Pigau'r Sêr* yn dod ato am gyngor a mab y Parch. Huw Llew Williams hefyd pan oedd yn paratoi cofiant i'w dad. Hynny ydi, pan fyddai angen help at unrhyw orchwyl llenyddol, at R.E. y deuai pawb yn Nyffryn Conwy a thu hwnt.

Antur Tŵr yr Eryr

Enillwyd buddugoliaeth fechan ond nid ansylweddol yn y frwydr i ennill statws i'r genedl Gymreig trwy weithred nifer o Gymry ifanc mentrus ar un dydd Gŵyl Dewi yn y tridegau. Eu harweinydd oedd J.E. Jones a'r hyn oedd wedi'i gyffroi oedd safle israddol baner y Ddraig Goch a chwifiai ar un o dyrrau isaf castell Caernarfon tra chwifiai baner Lloegr o'r tŵr uchaf, sef Tŵr yr Eryri. Er i J.E. anfon llythyr at Lloyd George, cwnstabl y castell i ofyn y dylid chwifio'r Ddraig Goch mewn safle cydradd â Jac yr Undeb ni lwyddodd hyd yn oed y synnwyr hwnnw i ddwyn perswâd ar y Weinyddiaeth Adeiladau yn Llundain i ganiatáu y fath beth.

Felly, ar fore Gŵyl Dewi 1932 cyfarfu pedwar pleidiwr yng Nghastell Caernarfon – J.E., E.V. Stanley Jones, W.R.P. George a Wil Roberts. Aethant i ben Tŵr yr Eryr a thynnwyd Jac yr Undeb i lawr. Codwyd Draig Goch enfawr yn ei lle a daeth cymeradwyaeth oddi wrth rai o drigolion Caernarfon a oedd yn gwylio o'r maes. Serch hynny, cyn pen awr, llwyddodd swyddogion y castell i fynd heibio i'r pleidwyr a thynnu'r Ddraig Goch i lawr.

Ond nid dyna oedd diwedd y 'frwydr' – y prynhawn hwnnw daeth nifer o fyfyrwyr o Goleg Bangor i Gaernarfon; hwythau hefyd wedi'u cythruddo gan haerllugrwydd y gweinyddwyr Seisnig. Arweiniwyd y myfyrwyr gan R.E. Jones ac er bod Tŵr yr Eryr wedi'i gau, rywfodd cyraeddasant ben y tŵr a thynnwyd baner Lloegr i lawr unwaith eto. Y tro hwnnw ni chodwyd Draig Goch ond llwyddodd un o'r myfyrwyr i gael y Jac yr Undeb allan o'r castell ac i'r maes. Yno fe'i rhwygwyd yn ddarnau. Tybed lle mae'r darnau heddiw?

Ar y Dydd Gŵyl Dewi dilynol yn 1933, gwelwyd Lloyd George yn cymryd y brif ran mewn seremoni i chwifio'r Ddraig Goch o Dŵr yr Eryr. Yn fuan ar ôl hyn, daeth rheolau o'r Weinyddiaeth Adeiladau y dylid chwifio'r Ddraig Goch a Jac yr Undeb oddi ar holl adeiladau'r Llywodraeth ar ddyddiau arbennig. Y pleidwyr a'r gwladgarwyr ifanc oedd yn gyfrifol am y newid hwn, nid Lloyd George. Oherwydd y defnydd swyddogol o'r faner Gymreig fe'i gwelwyd yn llawer mwy aml nag yn y gorffennol ac enillwyd ychydig mwy o statws i'r genedl Gymreig trwy 'Antur Tŵr yr Eryr'.

Hywel James, *Y Ddraig Goch*, Mawrth 1982

Atgofion J.E. am R.E.

Tros Gymru, J.E. Jones

Tŵr yr Eryr

Mae J.E. yn disgrifio fel y bu iddo ef, E.V. Stanley Jones, W.R.P. George a Wil Roberts dynnu lawr Jac yr Undeb a chodi'r Ddraig Goch ar ben Tŵr yr Eryr fore Dydd Gŵyl Dewi 1932 ac yn mynd ymlaen wedyn . . .

Yn y pnawn heb wybod dim am a ddigwyddodd y bore, daeth rhyw ugain o fechgyn glew Coleg Bangor i Gaernarfon ar lorri Ellis Roberts, hwythau wedi eu cyffroi gan falchder Cymreig yn wyneb haerllugrwydd Llundain. Arweinydd mintai Bangor y pnawn hwnnw oedd R.E. – R.E. Jones o Langernyw, prifathro Llanberis a lleoedd eraill, sy'n byw yn Llanrwst heddiw. Cawsant fynd i mewn i'r Castell trwy dalu – canys yr oedd dor fawr Tŵr yr Eryr erbyn hyn wedi ei chau a'i chloi. Ond oddi ar un o'r muriau, llwyddasant i wthio i mewn i'r tŵr trwy ryw agen saethu. Cyn pen ychydig funudau, yr oeddynt ar ben y Tŵr a'r U.J. i lawr eto. Daeth plismyn eto ar fyrder, ac wedi cryn drafferth i gasglu'r holl fechgyn ynghyd. Fe'u gyrrwyd oll allan o'r castell. Ond yr oedd un ohonynt wedi gwisgo baner Lloegr fel amdo dan ei ddillad; daeth ataf i Swyddfa'r Blaid i ddadwisgo'r Jac.

Ar y maes, a thyrfa yn casglu yno, anerchodd R.E. Jones ac eraill ar haerllugrwydd Llywodraeth Llundain. Gwaeddodd rhywrai am i'r U.J. gael ei llosgi, a bu cymeradwyaeth fawr i'r awgrym. Rhedodd un o'r Maes i'm Swyddfa i'w chael, ac yn ôl i'r Maes gyda hi dan ei got. Taenwyd hi ac yr oedd degau o fatsus golau otani ar unwaith, ond – ni wnâi losgi. 'Rhwygwch hi,' bloeddiodd rhywrai. A rhwygwyd hi'n ddarnau. Trysorir y darnau, o gofio'r achlysur, gan lawer hyd heddiw.

*Rwy'n cofio darn yn y tŷ yng Nghwm Penmachno, ag ôl deifio arno. Fe'i gwerthwyd i godi arian at y Blaid, mewn garddwest yng Ngarthewin os dwi'n cofio yn iawn.

* * *

tud. 161

R.E. Jones hefyd – gallwn drafod gydag yntau bob cynlluniau; byddai ei awgrymiadau'n werthfawr, a llawn o synnwyr cyffredin bob amser. Bu'n cydweithio â mi yn ddi-dal, ac yn cyd-fyw, am rai misoedd cyn iddo gael swydd fel athro yng nghyfnod y dirwasgiad mawr.

* * *

tud. 187

Yn 'rhaglen' y cyfarfod croeso i'r tri, cyfieithiad o ddarn o waith Thomas Davis gan R.E. Jones – 'Ni ddaeth dy ddydd i ben fy ngwlad' . . .

* * *

tud. 226

Dywedodd R.E. Jones (Llanrwst yn awr) wrth y Tribiwnlys [wrth sefyll fel Gwrthwynebydd Cydwybodol i'r rhyfel]:

'Yr enw a roir heddiw ar ddyn sy'n gwadu ei genedl yw Cwisling. Yr wyf i heddiw, yn enw cydwybod yn gwrthod bod yn Gwisling Cymreig. Cymru, tan Dduw, a'm piau i, a gwrthodaf fod yn fradwr iddi.'

Propaganda etholiadol

Wŷr annwyl yn lle gwirioni – o hyd
   Ar Eden ac Atlee
Neidiwch drosodd a rhoddi,
Y tro hwn, – fot i R.E.

J.T. Jones

Awen R.E.'n llawn o rym

gan Tudur Dylan Jones

Awen R.E. yw un o'r llyfrau hynny y bu disgwyl mawr amdanynt yng nghylchoedd llên yn ddiweddar, ac ni siomwyd y cylchoedd hynny. I unrhyw un sy'n caru sŵn englynion a chwpledi bachog, mae pori drwy'r llyfr hwn fel cerdded drwy berllan a chael yr afalau'n aeddfed bob tro. Mae amrywiaeth y testunau, a'r ffaith i R.E. Jones ganu englynion digri yn ogystal â rhai difrifol a chyda'r un ddawn, yn profi inni fod yna fardd wrth reddf ar waith yma. Mae hwn yn fardd sydd wedi symud gyda'r oes, ac mae'r un mor gartrefol yn llunio englyn i'r 'Ffynnon' ag yw i 'Twrw Tanllyd'.

O wybod hanes a chefndir R.E. Jones, a'i sêl dros y pethau sy'n dda yn ein cenedl, 'all dyn ddim ond teimlo fod dwyster rhyfedd yn ei ganu, a dwyster sy'n ddiffuant bob tro. Mae pob un bardd o bwys, mi gredwn i, ar ryw adeg yn ei yrfa, wedi llunio barddoniaeth wladgarol, neu wedi ymdrin â phwnc yr iaith a'r genedl, ond tybed a luniwyd pob un o'r cerddi hyn o dan wir deimlad? Mae rhywun yn *gwybod* o ddarllen gwaith R.E.:

Afallon

> Nid ar dir ac nid ar don – unrhyw fap
>   Y mae'r fwyn Afallon,
>   Ond ymhob dyfal galon
>   Wir Gymreig mae erwau hon.

Gan fod amrywiaeth eang iawn yn nhestunau'i englynion, ar un olwg, anodd yw dod o hyd i un thema sy'n eu clymu â'i gilydd. Serch hynny ceir themâu pendant yng ngwaith R.E. Jones, a'r fwyaf o'r rhain yw'r un a grybwyllais eisoes, sef cariad angerddol tuag at ei wlad a'i iaith. Nid oes ganddo amser i'r gweiniaid hynny nad ydynt yn poeni dim ynghylch dyfodol yr iaith, ac fe ddwed hynny mewn ffordd uniongyrchol:

Ymgyrch Rhyddid Cymru

Cilied rhai gwan eu calon, – llyfriaid trist,
    Llyfwyr traed yr estron;
    Nid i ofnog daeogion
    Gur a chwys yr ymgyrch hon.

Mae ganddo'r ddawn i ddweud pethau ysgytwol a syml, ac eto
sydd â dyfnder ystyr di-ben-draw: 'Hysbys mai gwlad hapus hi/Y
sydd heb hanes iddi'.
    Mae rhywun yn teimlo fod cadernid yn safonau R.E. Jones, a'i
fod yn barod i ddweud ei farn yn ddiflewyn-ar-dafod:

Fandaliaid

Heb ystyr y maluriant – yn hy, ffôl,
    A phaham? Ni wyddant.
    Her a gwefr mewn dinistr gânt,
    Hyfrydwch mewn difrodiant.

Nid peth hen-ffasiwn yw canu tebyg i hyn o gwbl, ond
cadarnhad o'n gwerthoedd gorau yn erbyn dylanwadau sy'n
wrthun i ni. Dyna ni eto yn ôl rywle yng nghyffiniau prif thema'r
awdur.
    Yng nghyd-destun parhad y genedl a'r posibilrwydd o'i
diflaniad fe wêl y bardd ymdrech bywyd yn erbyn difodiant, boed
hynny o wneuthuriad dyn neu o wneuthuriad naturiol a elwir yn
'heneiddio'. Fe wêl mai'r difodiant sy'n trechu bob tro:

D'anadl gyntaf a dynni
Ydyw dechrau d'angau di.

Mae ei englynion digri yn amrywio o fod yn gynnil grafog i rai
gwirioneddol ddoniol, ac nid oes un rhan o'n cymdeithas yn saff
rhag ei dynnu coes. Mae'r beddargraffiadau'n taro deuddeg am y
rheswm fod ynddynt yn aml ryw gic annisgwyl yn y diwedd – ac

nad yw yn mynd ar ôl yr amlwg bob tro:

Athro

Hen gythraul dig o athro – hael ei wg,
    Anael iawn wrth farcio;
Yma'i hun y mae heno –
Isel yw ei lefel 'O'.

Enghraifft arall o dro yng nghynffon englyn yw ei englyn annisgwyl hwnnw i 'Anffawd', ac mae yn hwn hefyd yr un rhwyddineb sydd yn nodweddiadol o englynion y gyfrol:

John a Jên fu'n llawn gwenau – yn ddidor
    Ddedwydd am flynyddau,
Wedyn fe ddaeth gofidiau;
Rhyw ddydd fe gyfarfu'r ddau.

Does dim llawer o feirdd yng Nghymru heddiw a fyddai'n gallu cynnal llyfr swmpus fel hwn yn llawn o englynion a chwpledi, a chyda'r un graen a safon ag R.E. Jones. Mae'r un a roddodd i ni y llyfrau o *Idiomau Cymraeg* wedi profi ei fod yn feistr ar ddeithi'r iaith honno ac yn abl i'w defnyddio i greu digrifwch a difrifwch fel ei gilydd.

Barddas, 1989

O ddroriau'r teulu

Manion

Beryl

Yma a thraw'n chwim ei throed, – heb aros
    A Beryl yn 'sgafndroed.
Hogan yw sy'n drigain oed,
Er hynny'n gwatwar henoed.

Hen ŵr pymtheg a thrigain!

Englynion Pen-blwydd Priodas

*I Bet a Brian i ddymuno'n da iddynt ar bedwerydd
pen-blwydd ar hugain eu priodas.*

A dau annwyl cyd-unwn – i gofio,
    A'u cyd-gyfarch fynnwn,
    A'u mwyniant a ddymunwn
Ar y diwrnod hynod hwn.

I Brian a Bet eto – o lwyddiant
    Hir flwyddi a fyddo;
    Eu cysur difesur fo,
A llawenydd a'u llanwo.

*Englynion a gyfansoddwyd, 'rwy'n cymryd, ar ôl bod
yn Co. Sligo ac o gwmpas y mannau sy'n gysylltiedig
a Yeats. Roedd Enid ac R.M. hefo ni.*

Hoff yr awr ger Inisfree – y bu Yeats
   Y Bardd yn ei moli.
  Nid oedd gael myned iddi
  Ynys gain dros lain o li.

Diolch a wnawn i'r duwiau – o wir fodd
   Am ryfeddol ddyddiau
  Dyma ni wedi mwynhau
  Godidog heulog wyliau.

Limrigau et al

Yr enw roes George Bryn y Môr
Ar y pumed o'i blant oedd 'Encôr'
   Pan holais yn syn
   Y rheswm am hyn
Doedd o ddim ar y rhaglen, medd Siôr.

*   *   *

Roedd mab John Sebastian, Tre'r Wrach
Yn globyn o blentyn pur iach,
   A hen dro go siabi
   Oedd bedyddio y babi
Yn Johann Sebastian *bach*.

*   *   *

Mae *chwyddiant* yn broblem i Moli
'Nenwedig o gwmpas ei bol-hi
   Mae'n rhaid i'r hen chwaer
   Ddechrau slimio yn daer
A chael mesur o wir *ddat-ganoli*.

*   *   *

'Mae'r cynllun creu gwaith,' medd areithiwr
(Yn ôl y set radio 'ma neithiwr)
    'Yn llwyddiant gwir fawr'
    Felly'r cwbl yn awr
Sy'n eisiau yw cynllun creu gweithiwr.

* * *

'Bardd mawr?' meddai'r beirniad yn hallt
Am awdur *Caniadau yr Allt.*
    'Er cymaint ei glod-o
    Dim posib ei fod-o
Dim posib! Mae pawb yn ei ddallt'.

* * *

Rhoes miliynau gefnogaeth i Reagan,
Ond pan ddont i ddallt mai'i hoff degan
    Yw bom fwya'r byd
    (Ac un coblyn o ddrud!)
Nid yn unig mi gegan', mi regan'.

* * *

O'r diwedd fe'm darbwyllwyd
    Hudoles feingorff fwyn,
Fod gwenwyn yn dy gusan
    A brad tu ôl i'th swyn;
Mi wn y dychwel hiraeth
    Amdanat ambell sbel,
Ond mynnaf ymwahanu –
    Fy sigarét, ffarwél.

Chwe hwiangerdd gyfoes

Buddugol yn Eisteddfod Môn 1989 –
Beirniadaeth Dr Derec Llwyd Morgan:

Tri yn cystadlu *Madog* a *Geraint* a *Sion*, a'r tri yn
ddeche iawn wrth y gwaith, yn mydru'n
rhwydd, yn darlunio'n glir yn cloi eu cerddi'n
dwt. Yr hyn sy'n nodweddu'r buddugwr yw
ffresni ei ffansi a'i allu i daro ar agwedd meddwl
sy'n dweud mwy wrthym am blentyndod nag a
geir yng ngeiriad yr hwiangerddi eu hunain.
Gwobrwyer Sion, a chyhoedder ei hwiangerddi
yn y *Cyfansoddiadau.*

Nain! Nain!

'Nain, Nain, dywedwch i mi
Pa ddiod a hoffech ei gael gen i?
A hoffech chi lasied o lemonêd,
Neu Goca Cola neu lwcosêd?'

'Na, na, mae llaeth enwyn yn well na rhain!'
'Llaeth enwyn? Pa beth ydi hwnnw, Nain?'

Meredydd Meredydd

Meredydd Meredydd sy'n mynd bob diwedydd
I brynu Sglodion Tatws.
'Nol bwyta y rheini, mae'n jogio yn heini
O Abergwyngregin i'r Gatws.

Meredydd Meredydd mae'n chwim fel ehedydd
Heb ball ar y gwynt yn y fegin;
Gall jogio drachefen yn ôl wysg ei gefen
O'r Gatws i Abergwyngregin.

Stori

Sion yn trwsio lorri,
Dyna ddechrau'r stori.

Fe lyncodd ei sbanner,
A dyna'r hanner.

Bu yn ei ddau ddwbwl
Cyn cael gwared â'r trwbwl.

A dyna'r cwbwl!

Tair

Enid, Ann a Winni
Yn mynd mewn modur mini,
Wrth yrru'n wirion hyd y lôn,
Fe aethon i drybini.

Fe gostiodd drigain gini
I drwsio'r modur mini,
A rŵan cerdded i bob man
Mae Enid, Ann a Winni.

*   *   *

Glywsoch chi sôn am fy nghefnder Meic
Mae'n mynd i'r Ysgol ar foto beic.

O mae Meic yn *rêl* creadur,
Mae'n gwneud ei symiau ar gyfrifiadur.

Os cyll o raglen, wel nid yw'n hidio
Mae'n gofalu'i recordio hi ar ei video.

Fe a ar wyliau i Tibet
Gan wneud ei siwrne mewn Jumbo Jet.

Mae'n trin yr ardd nid a rhaw fel fi
Mae'n ei throi mewn chwinc efo'i J.C.B.

*   *   *

Miss Jones! Miss Jones! Medd Sian a Iori,
Miss Jones! Miss Jones! Plîs gawn ni stori?

Wel, iawn 'rhen blant pa stori gawn ni?
Mae na lu o recordiau. Pa ddewis wnawn – i

'O na, Miss Jones! Medd Sian a Iori
Nid record, Miss Jones , ond CHI'n deud stori'

Sion

Emynau a gyfansoddodd R.E.
at briodas Sion a Marian, Medi 1984

Tôn: Deganwy

Ein Tad o'r nef o arwain ni
I roi i Ti ogonedd
Ac i'th addoli o un fryd
Mewn ysbryd a gwirionedd.

Ar ran y ddeuddyn ger dy fron
Clyw'n dirion ein dymuniad:
Doed haul dy gariad yn dy dŷ
I wenu ar eu huniad.

A chadw'r ddau mewn dyddiau i ddod
Yng nghysgod dy adenydd
A boed eu bywyd fore a nawn
Yn llawn o bob llawenydd.

Tôn: Edinburgh

Ar y ddeuddyn a'u cyfamod
Boed dy wenau, Arglwydd, mwy;
Rho trwy gydol eu bywydau
Fendith deufyd iddynt hwy.
Gwerthfawr ddoniau dy ragluniaeth,
Caffont beunydd eu mwynhau,
Ond i'w calon yn gynhysgaeth
Dyro'r cyfoeth sy'n parhau.

Dug yr Iesu gynt i Gana
Wyrth a bendith yn ddi-drai;
Argyhoedda hwythau heddiw
Nad aeth dawn yr Iesu'n llai –
Dawn i wneud ein byw beunyddiol
Yn wefreiddiol iawn ei rin,
Troi'r cynefin yn rhyfeddod,
Ie, troi y dŵr yn win.

Tywys Di hwy yn d'oleuni
I gydgerdded law-yn-llaw,
Cyd-ymlawenhau mewn llwyddiant,
Cyd-wynebu siom, os daw;
Cydymddŵyn a chyd-ymddiried
Drwy y daith a'i throeon hi –
Dau yn ddedwydd yn ei gilydd
Ac yn ddedwydd ynot Ti.

Englynion cyfarch i Mererid a Gareth
ar eu priodas

Rhown o eigion ein c'lonnau – yn un llais
    Ein llongyfarchiadau.
  Fe eiddunwn fuddiannau
  Dihysbydd i ddedwydd ddau,

Dau o radd a da wreiddyn, – dau'r un fryd,
    I'r un fro yn perthyn,
  Dau fu'n dyfal gyd-galyn,
  Dau'n awr wedi mynd yn un.

Di-gur fo bywyd Gareth, – llwyddiannus
    A hapus ym mhopeth,
  A'i wynfyd o fo'n ddi-feth
  Yn swyn ei ddewis eneth.

Doed llawnder o fwynderau – i gyfwrdd
    Y wraig ifanc, hithau;
  Llawn o hoen i'w llawenhau
  I Fererid fo'r oriau.

Diddan a hir fo dyddiau – dau gymar;
    Di-gwmwl wybrennau
  Uwch tangnefedd llechweddau
  Y Fron Deg fo'u rhan eu dau.

Cyfarfod Teyrnged

(i R.E., y Babell Lên,
Eisteddfod Dyffryn Conwy a'r Cyffiniau, 1989)

Brynhawn Mercher, cynhaliodd Barddas gyfarfod teyrnged i ŵr lleol sydd wedi bod yn amlwg ym myd cerdd dafod ers nifer helaeth o flynyddoedd. Ef oedd cadeirydd pwyllgor llên Eisteddfod Llanrwst 1951 ac ymhlith nifer o bethau blaengar arall, dyna pryd y gwelwyd Ymryson y Beirdd yn y Babell Lên am y tro cyntaf.

Cadeirwyd y cyfarfod gan Geraint Lloyd Owen a chychwynnwyd gyda pharti Ysgol Llangernyw yn canu un o ganeuon ysgafn R.E. Yna adroddodd Tecwyn Jones, Porthaethwy un o'r llu adroddiadau digri a sgrifennodd R.E. ar gyfer gwahanol raglenni radio.

Rhoddwyd gwerthfawrogiad ohono fel bardd gan Myrddin ap Dafydd a dynnodd sylw'r Babell at lyfnder ei englynion a'i feistrolaeth gyflawn ar grefft ac iaith.

Gorffennodd drwy gyfeirio at ei ddyled bersonol iddo fel athro barddol:

Dyled un wrth sawdl ei dad – yw 'nyled,
    Calon pob ysgogiad,
    R.E. oedd fy ymroddiad,
    R.E. yw 'nyfalbarhad.

Myrddin ap Dafydd

Cyflwynodd O.M. Roberts, Cadeirydd y Pwyllgor Gwaith, bortread o'i adnabyddiaeth bersonol ef o R.E. Jones, dros yr hanner canrif diwethaf. Mae'r ddau'n gyfeillion mynwesol ac roedd cynhesrwydd yn ei atgofion. Dilynwyd hynny gyda chyfarchion y beirdd – pedwar o feirdd yr ardal a'r Prifardd Tilsli a fu'n byw yn Llanrwst am gyfnod. Gorffennwyd y cyfarfod gyda datganiad gan Iwan Morgan, Ffestiniog a gyflwynodd yr englynion coffa 'J.E. Tros Gymru' ar gerdd dant.

R.E.

A fu 'rioed un fel R.E.? – dyn â dawn
    Dweud y pethau digri;
    Pennaeth yr hen gwmpeini,
    Hoelen wyth ein hardal ni.

Un â'i wreiddiau'n llawn rhuddin, – a'i enaid
    Y glanaf, dilychwin;
    Rhoes ei amser i'n gwerin,
    Ni bu 'rioed 'ei gael ein brin'.

Ffyniant roes i'n gorffennol – a heuodd
    Gynhaea'r dyfodol,
    Rhoes o'i win i'n presennol
    A'i ffydd i'n hen genedl ffôl.

I'r gwanaidd mewn awr o gyni – bu'n gawr,
    Heb un gwell i'n hochri;
    Haearnaidd a diwyrni,
    Hoelen wyth ein cenedl ni.

Huw Selwyn Owen, Ysbyty Ifan

R.E.

Clodfori R.E. sy raid – am ei waith
    Ymysg y gwroniaid;
    Gŵr llawen, iach ei enaid
    Eirias ei ble dros y Blaid.

Bu urdd o hogiau barddol – mawr eu clod,
    Ceiliogod colegol,
    Nid oes o'r criw dewisol
    Ond R.E. Llanrwst ar ôl.

O.M., Huw Llew, 'rhen gewri – a ganai
   Yn gynnes eu cerddi,
O'r hoenus frodyr heini
Mwyaf ei rym fu R.E.

Ddeallwr priod-ddulliau – yr heniaith,
   Olrheiniwr ei champau,
Boed i'th gaeth astudiaethau
A'th awen ir hir barhau.

Y Prifardd Tilsli

R.E. Jones

Grŷm ei radd gwir ymroddiad, – mwy na'i ddysg,
   Mwy na'i ddawn ei naddiad;
Gŵr o lwydd, ond gŵyr y wlad
Gyfrinach ei gyfraniad.

Athrylith ei air ola', – a thanwydd
   Doethineb y craffa',
Im bu o les rhag chwim bla
Dilorniad wrth Dalyrna.

Ei hun yn un ohonom, – dylifiad
   Ei lafur fu trosom;
Hyd ei gŵys cnwd a gawsom,
Traul ei oes nid daear lom

R. Glyn Jones

Cyfarch 'R.E.'

R.E., buost ti fel tad – i gylch beirdd,
    Na, gweilch bach di-brofiad!
Ond braint fu gweld ei barhad
A'i addas ddau gyhoeddiad.

Fe'n dysgaist â'th fwyn dasgau – i wella'n
    Pur wallus linellau;
Cyson dirion oedd d'eiriau
A roi ddysg heb ein pruddhau.

Yn awr rhoist in lyfr, R.E. – wna'i lawen
    Luoedd werthfawrogi
Mor gymen dy awen di
A'r doniau er daioni.

Ŵr annwyl, dy arweiniad – yn fynych
    Fu inni'n gaffaeliad;
Un glew dros ein hiaith a'n gwlad
A di-guro dy gariad.

Gwilym Roberts, Trefriw

R.E.

Dyn gwrol a dewin geiriau – a grym
    Ei grefft yn ei lyfrau,
A rhown glod – R.E. yn glau
Yw brenin gwlad y bryniau.

Dedwydd fai'n gwlad a godidog – o roi
    R.E.'n brifweinidog,
Nid fel y mae yn daeog
Gwalia wen a gâi wiw log.

Prifeirdd wedi eu profi – a gawsom
    Yn gyson, a chewri,
Rhannwyd miloedd o'r rheini
Ond ni roed ond un R.E.

Odiaeth a mawr anrhydedd – a fai'i weld
    Ym mhrif wisg yr orsedd,
I'w wlad fe ddarparodd wledd
O geinion cerdd ddigonedd.

Bu'n athro gwiw a diwyd – a rhannodd
    Gyfrinach celfyddyd
Yn ei Walia câi'i olud
A'n hiaith gai'i afiaith o hyd.

I'w oes bu yn arloesi – yn wleidydd
    I'w wlad yn ei chyni,
Ni cheir ymysg ei chewri
Yr un hafal i R.E.

D.O. Jones, Cwm Eidda

Y Beirdd yn cofio R.E.

R.E. a'i ddylanwad yn Nanconwy
Teyrnged Gwilym Roberts

Cyfyngaf i fy hun yn awr i sôn yn unig am fraint fawr iawn a ddaeth i ran ryw nifer fach ohonom yn Nant Conwy oedd yn ymhel â barddoni (neu brydyddu yn fy achos i) a chynganeddu yn arbennig. Gwahoddodd R.E. ni i gyfarfod ym Modeuron ar Ebrill 6ed, 1968 (Huw Selwyn, Dafydd Owen Jones, G.O. Jones, Dafydd Griffith, Meirion Huws, R.E., Glyn Jones a minnau, ac yn ddiweddarach y Parch. R.M. Williams).

Y drefn oedd cyfarfod yn nhai ein gilydd unwaith y mis a dewis testun i englynu arno (ambell waith hir-a-thoddaid). Y mis wedyn darllenai pawb ei englyn (neu englynion) a'r gweddill yn ei drafod, ond y cyfraniad pwysicaf o ddigon oedd sylwadau treiddgar yr arbenigwr R.E. Gallai roi cyngor gwerthfawr a beirniadaeth garedig ac yn aml ein goleuo ar bwyntiau o ramadeg ac idiom ac wrth gwrs ar reolau Cerdd Dafod.

Drwy'r cyfarfodydd hyn rhoes R.E. ddimensiwn newydd i ni. Roedd fel agor ffenestr liw newydd ar fywyd a chreodd gymdeithas newydd gynnes ddiwylliannol. Cynorthwyodd ni i ffurfio tîm i gystadlu mewn ymrysonau lawer ac ennill rhai Barddas yn 1977 a 1979.

Parhaodd ein cyfarfodydd hyd 1984 pan gollasom rai o'r cwmni. Ar wahân i'r cyfarfodydd hyn, yn 1973 cychwynnodd R.E. deithiau blynyddol i ni a'r gwragedd i ymweld â lleoedd o ddiddordeb diwylliannol yng ngogledd Cymru.

Yn yr 16 mlynedd o gyfarfodydd llywiodd R.E. ddwy gyfrol o englynion o'n gwaith drwy'r wasg. (Lluniwyd 1,528 englyn i gyd.) Cyfoethogwyd ein bywyd yn fawr iawn drwy'r cyfarfodydd hyn ac i R.E. mae'r diolch.

Collasom rai o'r criw dros y blynyddoedd. Nid oes ond Huw,

D.O. a Glyn a minnau'n aros bellach ac erbyn hyn collasom ein harweinydd.

Bu R.E. yn arloeswr mewn sawl ffordd. Ef a awgrymodd ym Mhwyllgor Llên Prifwyl Llanrwst yn ôl yn 1951 gael cystadleuaeth i lunio Geiriadur Cymraeg ac ystyron y geiriau yn Gymraeg yn hytrach na dim ond cyfieithiad ohonynt yn Saesneg. O ganlyniad i'r awgrym hwnnw gwobrwywyd dau athro ysgol, H. Meurig Evans a W.O. Thomas. Ac awgrymodd y beirniad, y Dr Stephen J. Williams, fod y ddau yn cydweithio i gynhyrchu un Geiriadur, ac felly y bu, a chawsom *Y Geiriadur Newydd* (Llyfrau'r Dryw 1953) a'r *Geiriadur Mawr* llawnach 1958 (Llyfrau'r Dryw ac Aberystwyth).

R.E. hefyd yn yr un Brifwyl yn Llanrwst yn 1951, pan oedd yn gadeirydd y Pwyllgor Llên, a gyflwynodd yr Ymryson Beirdd cyntaf i'w gynnal yn y Babell Lên a chymaint o wefr a gawn o'r Ymrysonau yno erbyn hyn!

Gweithgaredd arall o'r eiddo oedd cynnal am gryn amser Golofn Farddol ym mhapur bro *Y Pentan*, Llanrwst a'r Cylch, a hefyd llunio ugeiniau o groeseiriau ar gyfer y darllenwyr i'w datrys bob mis.

Bu yn aelod a Phrif Of praff a gwerthfawr ei gyfraniad yng Nghlwb yr Efail yn Llanrwst, clwb a gychwynnwyd yn 1951.

Rhoes bob cymorth ac anogaeth bosibl i lenorion hen ac ifanc, y mwyaf nodedig, efallai, y Prifardd Myrddin ap Dafydd.

Pan ymwelodd y Brifwyl â Llanrwst Dyffryn Conwy yn 1989 enwyd R.E. yn Llywydd Anrhydeddus ar yr Ŵyl, ond yr oedd yn rhy ddiymhongar i dderbyn y gwahoddiad i fod yn un o feirniaid cystadleuaeth y Gadair. Da, er hynny, oedd ei weld yn bresennol (mewn cadair olwyn) yn y Cyfarfod Teyrnged arbennig iddo a drefnodd Cymdeithas Barddas yn y Babell Lên, bnawn Mercher.

Englyn Teyrnged i R.E.

I'n cenedl o sawl cenhedlaeth – fe roes
    Yn frwd ei wasanaeth
    O Lanrwst mawr lenor aeth
    A mawr yn awr yw'n hiraeth.

Gwilym Roberts

Englyn cydymdeimlo â Beryl (priod 'R.E.')

Chwi, Beryl, oeddech barod – i ddioddef
    Y ddiweddar ddyrnod;
    Nawr trwy wyll oriau trallod
    Fel haul byw boed i Dduw ddod.

Gwilym Roberts

Cyfaill
Ar ôl ymweliad

Heno mewn anhunedd – distaw
    A llwm y llygaid astud;
Y cofio brau a fu braff,
Annedd y gynghanedd ynghau;
A'r meddwl nad oedd yn maddau* – i'r iaith
Ar ei hymdaith dros y cenedlaethau,
    Dan amdo.

Heno eistedd yn ddi-ystum,
Hen gragen lle bu goreugwr –
Anwylyn yn swpyn swrth.
Bardd a llenor yn brudd a llonydd
    Heb iaith heb wen.

Yna orig, fflach o'r hen arial,
Agor ei gof, gair yn gafael
Gwefr y cymuno gynt
Yn llacio'r tafod a'r llygaid yn tyfu – un funud fach
    Yna drachefn
I'w rych – Gyfaill ffarwel.

* Hen ystyr i 'maddau' sef gollwng gafael
  (e.e. methu maddau i'r gacen)

Vivian Parry Williams

Telyneg 'Rhyddid'
Er cof am R.E.

'Roedd ef yn rhwydd ei araith,
A dyfal ei berswad
Am bleidlais dros ei Gymru'
Am chwarae teg i'w wlad;
Siaradai ryddid yn ddi-baid
Ar ran ei blwy', ar ran ei Blaid.

Ond pan ddaeth blin erydu
Ei ddawn a'i allu dweud,
Am obaith ei yfory,
A'r holl oedd heb ei wneud,
Nid hawdd oedd agor ambell dro
Y rhwystrau yn ei eiriau o.

Er imi geisio datod
Y rhwymau lawer gwaith,
Tynhau a wnaeth pob cwlwm
Ac yntau'n hesb ei iaith,
Nes i ragluniaeth ei ryddhau
O'r cyffion brwnt fu'n ei lesgau.

Vivian Parry Williams

R.E.

'Rhen leidr wrth gipio'r meidrol
Er hyn a ad ryw faint ar ôl.
Derfydd oes, ond rhyfedd yw,
I dad nid darfod ydyw;
Ei dalent drwy ei deulu
Praff, yn saff o'i gwmpas sy',
A'i eiriau hefyd erys
Yn brawf o ddysg heb ôl brys.
Atseinio'n gyngerdd cerddi
Wna awen rwydd 'rhen R.E.

Cofiwn ddarnau o'r cyfan
I bawb yn wir rhoddi'r rhan,
I rai, cof am yr awen,
I mi, y cof am ei wên.

Ifor ap Glyn

R.E.

Heb R.E., at bwy yr af?
Na'i wers yn Ffordd yr Orsaf
na'i law a gaf i'm gloywi.
Nid erys mwy un drws i mi,
un athro i roi gwlith i'r had,
un rhiniog 'rydd arweiniad.

Yn y dre ddigystrawen,
mae herc gan y Gymraeg hen
a chroesiad yw'n siarad sâl
o famiaith ac o fwmial.
Ond yr oedd, tra ceid R.E.,
un a'n dygai o'n diogi;
un â sylwedd i'w seiliau,

124

un o hyd i'n cadarnhau
â'i iaith wâr, lafar ddi-lol;
un â'i siarad clasurol;
roedd glanwaith ei araith o
dynned â'i groen amdano.

Bu i'w wlad yn hurt bleidiol,
i'w dir yn un di-droi'n-ôl,
yn ŵr blaen cynnar y Blaid,
yn ddwrn, a hithau'n ddyrnaid.
Â'r fintai'n fain, bu'n faner,
yma'n cwhwfan ei her,
yn heulog, yn ysgogwr,
yn rhuban teg ar ben tŵr.
Un taer oedd, yn sbort er hyn,
ond Draig Goch reit o'r cychwyn.

Heb R.E., pwy wnaiff barhau
yn awr â'r hen fesurau
Ni hidia'r eirch am fydr hen
na'r yw am lyfnder awen;
di-gân, digwpled y gŵr;
yn nhalwrn hesb Cae'r Melwr
y mae, ac ni chawn mwyach
löyn byw o englyn bach.

Yr un na chariai'i henoed,
yntau'n gaeth a aeth i'w oed;
daeth y llen ar ymdaith llanc,
y diwedd ar fryd ieuanc
a'r hogyn o limrigwr,
hwn a wnaed yn hen, hen ŵr.

Anodd fu'i weld yn meinio,
a'r hen, hen farc arno fo
yn ei ddwyn at afon ddu
a honno'n ein gwahanu;

gweld lliw ei haearn arni
a'i wylio'n llwydo i'w lli
ac o, mor anodd ei gael
yn ŵr mud, ar ymadael,
heb na chellwair, gair na gwaedd,
yn y cerrynt o'm cyrraedd.

Draw o'r lan, drwy li Ionawr
aed â'i gwch un toriad gwawr
a lled y golled a gaf
â'r hers yn Ffordd yr Orsaf.

Ni all R.E.'n llwyr, er hyn,
'fadael heb adael hedyn;
ni roed ffydd prydydd i'r pridd;
ni roed ysbryd i'r dwysbridd.

Myrddin ap Dafydd

Er cof am R.E.

Dihangodd gwrid ieuengoed, – aeth y perl
    A daeth parlys henoed;
    Yna gofwy i gyfoed
    Y bardd oedd ffefryn pob oed.

Bu'n ffrind o fedr diledryw, – carai lwydd,
    Carai les dynolryw;
    Nid bod wnaeth R.E. ond byw,
    Y dyn hygred unigryw.

Ein llyw annwyl a'n llenor, – un cryf oedd,
    Sicr ei farn a'i gyngor;
    Dyn o stamp, sownd iawn ei stôr
    A diymwad ei hiwmor.

Rhagorol ieuwr geiriau, – fy angor,
　　Ni chyfyngai'i ddoniau;
　　Drwy'r wlad bu i'w had amlhau
　　A gwyn odiaeth ei gnydau.

Er rhoi'r glew dan erwau'r gwlith, – dylifiad
　　Ei lafur yw'n bendith;
　　Er diddymdra chwalfa chwith
　　Ni threulia ei athrylith.

　　　　　　　　R. Glyn Jones

R.E. Jones, Llanrwst
1908-1992

Y pen yn ein cwmpeini, – goreufardd
　　Digrifwch a choegni;
　　Dyn yr hwyl, dyna R.E.,
　　A dawn barod yn berwi.

Câi o urdd hen benceirddiaid – eiriau doeth
　　I roi dysg i weiniaid;
　　Hwn, o bawb, gâi barch di-baid
　　Tywysog gan brentisiaid.

Ni weddai'r fratiaith eiddil, – a gyrrai'r
　　Ffug eiriau ar encil;
　　Boed crefft lân i'r gân gynnil
　　Yn iaith rwydd, cyfoeth yr hil.

Apeliai hwn at y plant, – y dyrys
　　A âi'n diroedd rhamant;
　　A mwynhad fel bwrlwm nant
　　Yn deillio o'r diwylliant.

Hwn o raid, dyn llyfr ydoedd, – a'i aelwyd
A'i chyfrolau'n rhengoedd;
Yn fawr, uwchlaw'r niferoedd,
Gair Duw yn agored oedd.

I gyfeiliant gofalon, – tros ei Blaid
Rhoes ei ble yn gyson;
Rhag ystryw'r torrog estron
Mor dda i Gymru oedd hon.

Yn awr filain rhyfeloedd, – anfuddiol
Dangnefeddwr ydoedd;
I'r llaw a lywiai'r lluoedd
Ei fyd ef byd ynfyd oedd.

Boed i'r gau ei amheuon, – nid ofer
Dwf oedd i'w obeithion;
Gwelir cynhaea'i galon
Ym mharhad y Gymru hon.

Derwyn Jones

Er cof am R.E. Jones, Llanrwst

Cadwai'r winllan rhag anrhaith – y moch chwil,
Ond dymchwelwyd eilwaith
Ei muriau; aeth hithau'r iaith
Hyfrytaf eto'n fratiaith.

Alan Llwyd

Bywgraffiad byr gan R.E. Jones

GENI: 27 Chwefror 1908

ADDYSG: 1912-1920   Ysgol Elfennol (Eglwysig) Llangernyw.

1920-1926   Ysgol Sir Llanrwst (trwy ysgoloriaeth)
Arholiad y Senior 1924
Arholiad yr Higher 1926 – 'Distinction' yn Lladin a Chymraeg. Methu yn Saesneg (nid methu cael 'distinction' ond methu'n gyfangwbl!!)
Yn yr un tymor ennill yr Ysgoloriaeth Uchaf i Goleg Bangor. Ennill 'Exhibition' Uchaf Sir Ddinbych.
Ennill Ysgoloriaeth y Wladwriaeth (Arholiad arwahan yr adeg honno). Arholiad yr Hen Gorff i ymgeiswyr am y Weinidogaeth. Fy nerbyn.

1926-1932   Coleg Bangor
Cymraeg a Lladin. Graddio 2a 1929 .Dilyn dosbarthiadau Cymraeg Syr John Morris Jones* ac Ifor Williams.
* Aelod o'i ddosbarth olaf.

Gweithgareddau colegol

Eisteddfodol:
Cadair Eisteddfod Coleg Bangor 1927
Cadair Eisteddfod Coleg Bangor 1928

Cadair Eisteddfod Gyd-Golegol 1929 Abertawe
Coron Eisteddfod Coleg Bangor 1931

Ysgrifennydd a Llywydd y Gymdeithas Gymraeg a golygydd Cymraeg *Omnibus*, cylchgrawn y coleg

Ysgrifennydd Cymdeithas y Ddrama Gymraeg (Chwaraewyr Coleg y Gogledd) am rai blynyddoedd yng nghyfnod J.J. Williams.Yn y cyfnod hwnnw cyfieithu drama hir (Rutherford and Son – G.Sowerby) a dwy ddrama fer, *The Dear Departed* (Stanley Houghton) a *Lonesome-like* (Harold Brighouse). Cyhoeddwyd y cyfieithiadau o'r ddwy olaf gan y cyhoeddwyr Saesneg – Samuel French – dan y teitlau 'Yr Ymadawedig' ac 'Unigrwydd'. Bu cryn berfformio arnynt ledled y wlad yn y blynyddoedd hynny.

1930-1931 Llywydd Myfyrwyr Coleg Bangor a Llywydd Cyngor Canol Myfyrwyr Cymru

Cynrychiolydd Myfyrwyr Cymru ar Fwrdd Penodiadau'r Brifysgol. Cynrychiolydd cwbl fud hyd y cofiaf, ond gan y telid fy nghostau i'r cyfarfodydd – a gynhelid yn Llundain – ceis esgus i fynd o leiaf ddwy waith i Sodom a mynd i'r theatr gryn hanner dwsin o weithiau i weld actorion fel Henry Ainley, Marie Tempest, Gwen Ffrancon Davies etc.

1930-1932 Golygydd Cymraeg Cylchgrawn y Coleg.

HAF 1932

Diwedd tymor yr Haf 1932 gadael y Coleg i chwilio am swydd athro ysgol uwchradd i ddysgu Cymraeg a Lladin. Roedd y dirwasgiad ar ei waethaf ar y pryd hynny – ac athrawon yn ddeg am geiniog. Bûm flwyddyn gyfan yn byw ar y clwt ac ar fy wits. Treuliais fisoedd yn gweithio i'r Blaid efo J.E. yn Swyddfa'r Blaid yng Nghaernarfon. Ni chawn gyflog wrth gwrs ('doedd J.E. ei hunan ddim yn cael llawer) ond yr oeddwn yn cael lletya efo J.E. ac yn cael fy mwyd yn rheolaidd.

Roedd Mai Roberts (Deiniolen) yr adeg honno yn drefnydd Eisteddfod Enwog Siop Lewis (Lerpwl) ac am ddeufis cyn y steddfod fe ges swydd o gynorthwy-ydd i Mai (swydd o ddyfais Mai rwy' braidd yn siŵr). Cefais brofiad diddorol o fywyd siop fawr a'r fraint(!) hefyd o gydweithio a'r nofelydd John Brophy (oedd yn llunio hysbysebion y cwmni ar y pryd), a ? Cohen, y prif reolwr, a ddaeth yn Lord Woolton wedyn – ac yn rheolwr bwyd y deyrnas yn ystod y rhyfel. Mewn nifer o bwyllgorau ynglŷn â'r steddfod bûm yn cydeistedd gyda'r brawd yn ceisio'i oleuo ar ddirgeledigaethau dyfnion y Cymry oedd yn cael blas mawr ar ddiwylliant a mwy fyth o flas ar fargeinion y siop fawr. Yn bwysicach fyth yr oedd y cyfaill hoff yn talu imi am fy nghymorth, chwarae teg, tua deg-swllt-ar-hugain bob wythnos – swm tywysogaidd ar y pryd.

HAF 1933

Sut bynnag – tua diwedd tymor yr haf y flwyddyn honno – 1933 – mi ges job mewn ysgol elfennol. Yr oedd honno yn Nhal-y-bont, Dyffryn Conwy. Pleidwraig arall, Nesta Roberts, chwaer O.M., oedd yn athrawes yn yr ysgol ar y pryd, a gweithiodd fel gele i berswadio'r rheolwyr i'm penodi, er gwaethaf y prifathro, a oedd â'i lygad ar ymgeisydd arall o'r un ffydd annibynnol ag ef ei hun. Chwarae teg iddo fe ddaethom yn ddifai ffrindiau ar ôl hynny. Bûm yn Ysgol Tal-y-bont (yn hapus iawn) am ryw bum mlynedd .

Yna fe'm symudwyd i Ddolgarrog i'r Ysgol Ganol oedd newydd ei hagor yno. Y prifathro newydd – roedd yr holl staff yn newydd – oedd Darfel Humphries, un o feibion Clogwyn y Gwin, Rhyd-ddu.

1943 – CWM PENMACHNO

Oddi yno euthum yn brifathro i Ysgol Cwm Penmachno yn 1943 (roedd yn rhyfel erbyn hynny, wrth gwrs, ers pedair blynedd). Go brin y cawswn i'r penodiad, mae'n siŵr, gan fy mod i wedi bod ger bron tribiwnlysoedd fel gwrthwynebydd cydwybodol, ond fi oedd yr unig ymgeisydd! Sut bynnag bûm yn y Cwm am ddeng mlynedd – cyfnod bendigedig o hapus hyd nes colli Eirian fy ngwraig gyntaf yn ddisyfyd yn 1953.

1953 – LLANBERIS

Yn yr un flwyddyn penodwyd fi yn brifathro Ysgol Dolbadarn Llanberis lle y bûm nes ymddeol yn 1968. Cyfnod tra hapus arall. Ysgol dda iawn cyn fy mynd i yno 'rioed, adeilad bron yn newydd, athrawon campus, awyrgylch ragorol. Roedd bron dri chant o blant yno ar y dechrau, ond ymhen rhai blynyddoedd daeth newid ar drefn addysg y sir ac aed â'r plant dros 11 oed i Ysgol Gyfun Brynrefail, Llanrug – ysgol newydd sbon. Ond parhaodd yr ysgol – gynradd erbyn hyn – yn ysgol dros ddau gant o rif. Am wn i imi wneud fy ngwaith yn symol – o leiaf cefais gefnogaeth ddigon siriol gan y plant a'r staff, a'r rhieni. Ymddeolais yn drigain oed yn 1968, ac ymddeoledig a fûm byth!

Gyda llaw ail-briodais yn 1956 – a ganed Sion yn 1962. Rhyw 3-4 oedd pan symudasom i Lanrwst – bûm yn teithio'n feunyddiol oddi yno i Lanberis am y ddwy flynedd a hanner olaf nes ymddeol.

Troi yn ôl rŵan i sôn am agwedd arall ar fy ngyrfa:

GWLEIDYDDIAETH

Wedi bod yn Genedlaetholwr a Phleidiwr o ddyddiau ysgol a choleg.

Cymryd rhan (cymharol fechan) yn etholiad 1929 – buasai'n rhan fwy, ond yr oedd y lecsiwn yn cael ei chynnal ar y dydd olaf o Fai, a minnau i fod, mewn cyflwr trychinebus o amharod, i sefyll fy arholiad gradd ymhen pythefnos. Trwy ryfedd ras y nef, a gweithio tan dri a phedwar y bore am ddyddiau bwygilydd, yn traflyncu cyrsiau cyfeuon i'm hymenydd sigledig (a chael tynnu dau ddant ar ganol y cwbl), deuthum allan o'r cystudd mawr yn berchen ar radd 2A.

Cymerais ran ym mhob lecsiwn yn Arfon a fu wedyn – yn 1955 a 1959 – bûm yn ymgeisydd dros y Blaid yn Arfon, ac yn 1962, yng Nghonwy. Hyd y cofiaf ni'm hetholwyd!!

Gwleidyddiaeth y Blaid a aeth â'm hegnion yn bennaf (ar wahân i'r teulu a'm swydd) er y tridegau hyd y saithdegau.

Bum yn olygydd *Y Ddraig Goch* (1959-1961).

Yn aelod o'r Pwyllgor Gwaith am flynyddoedd o'r tridegau ymlaen.

Ni fûm yn aelod o'r un blaid arall.

RADIO

O 1939 ymlaen (hyd nes dyfod y teledu), bûm â rhan mewn rhaglenni radio

1. Cyfansoddi ugeiniau o gerddi ar gyfer 'Hogiau'r Gogledd' a'r Noson Lawen.

2. 'Camgymeriadau', 'Y Dafarn Goffi' (gyda Charles Williams, Ieuan Rhys Williams, Emrys Cleaver etc).

3. Sgriptiau achlysurol i Awr y Plant a'r Gwasanaeth Ysgolion.

DOSBARTHIADAU W.E.A.

Credaf mai fi oedd y 'stiwdant' cyntaf i gael cynnal dosbarth W.E.A. (ym Mynydd Llandygái) yn fy nwy flynedd olaf yn y Coleg.

Cynheliais rai'n rheolaidd wedi hynny, ddau neu dri'r wythnos ambell flwyddyn – yn Arfon, yn Nyffryn Conwy ac yn Uwch Aled – hynny hyd at ddiwedd y saithdegau.

O ia,

Bûm yn flaenor efo'r Hen Gorff mewn capeli mewn pedair ardal –
Ty'n-y-groes, Dyffryn Conwy
Rhydymeirch, Cwm Penmachno
Capel Coch, Llanberis
Seion, Llanrwst
(Ciliais o'r set fawr – oherwydd henaint)

'YMRYSON' YR EISTEDDFOD

Yn Eisteddfod Llanrwst 1951 yr oeddwn yn Llywydd y Pwyllgor

Llên. Gallaf hawlio mai fi oedd yn gyfrifol am gael 'Ymryson y Beirdd' i'r Steddfod. Cawsom wythnos o gystadlu rhwng timau o wahanol rannau o'r wlad (William Morus yn Feuryn). Bu'r arbraw (diolch i William Morus yn bennaf) yn llwyddiant mawr – a'r Babell Lên – peth digon anghyffredin y dyddiau hynny - yn llawn, a gorlawn bob dydd. I bob pwrpas bu'r ymryson yn rhan o'r Steddfod byth er hynny.

BEIRNIAD

Beirniadais Gerdd Goffa (gaeth) i Feuryn yn y Fflint yn 1969. (Atal y wobr!) Rhois gorau iddi wedyn er cael cynnig droeon ar wahanol gystadlaethau, gan gynnwys – braidd yn anhygoel! – yr awdl.

Llawn mor anhygoel bûm yn feirniad ar yr adrodd ym Mae Colwyn (1947) – yn adran yr ieuenctid. Daeth fy ngyrfa yn y maes hwn hefyd i ben digon annisglair – wedi i mi sylweddoli nad oedd fy syniadau i a'r adroddwyr druain ddim yn cyd-daro'n aml.

EISTEDDFODOL

Ni chystadleuais mewn Eisteddfod Genedlaethol hyd 1959 (Caernarfon). Anfonais i mewn i honno 'Bymtheg Cwpled Epigramatig'. Ni chês wobr ond cês 'honaurable mention'! Ni chystadleuais wedyn tan Rhuthun '73 – anfonais nifer o englynion ar y testun 'Cyffur'. Roedd tri o'r rhain ymhlith yr wyth cyntaf gan Tilsli – ond O.M. Lloyd gadd y wobr.

Yn '79 cydradd ar yr englyn 'Bendith' (Caernarfon).

'81 oedd fy 'annus mirabilis' i (Maldwyn a'r Cyffiniau)
1. Ennill ar yr englyn (cydradd mi fy hun!)
2. Dau englyn o blith yr englynion buddugol ysgafn ar y testun 'Deryn'
3. Un o dri ar Limrigau.

Enillais droeon eraill ar limrigau, epigramau, tribannau (gydag eraill fel arfer).

Y pwynt yw na rois i erioed gynnig ond ar yr englyn, yr englyn digri a'r mân bethau eraill yna, ar na thelyneg, na soned, na baled, na dim o'r cyfryw – heb sôn am yr awdl a'r goron! Dyna brofi fy safle i fel bardd!

RHYDDIAITH

Y peth pennaf oedd yn Rhuthun 1973 – Gwobr Llandybïe am Gasgliad o Idiomau Cymraeg.

GWAITH CYHOEDDIEDIG

Heblaw y ddwy ddrama a gyhoeddais yn nyddiau coleg:

Llyfrau Rhifyddeg Cymraeg. Tair cyfrol ar gyfer ysgolion cynradd. Ar y cyd gydag O.M. Roberts, Gwasg Aberystwyth, yn y tridegau

Cyfres Darllen a Chwarae Llyfr 3. Un o gyfres o 4 o lyfrau darllen ar gyfer plant ysgolion cynradd, Hughes a'i Fab, yn y tridegau

A First Garland of Great Tunes, Percy M. Young, geiriau Cymraeg gan R.E. Jones, McDougalls Educational Co. Ltd., yn y pedwardegau

Storïau Ias a Chyffro (Gol. a rhan-awdur), addasodd stori 'Trysor Monte Cristo, cyhoeddwyd gan Eisteddfod Llanrwst 1951

Caneuon Digri, Cerddi i'w canu a'u hadrodd ar y radio – Hogiau'r Gogledd, Noson Lawen etc., Gwasg Gee, 1967

Chwe Ugain o Englynion, Gol. a rhan-awdur gyda 8 o feirdd Dyffryn Conwy, Gwasg Gwynedd, 1973

Deg o'r Dyffryn, rhan-awdur gyda 10 o feirdd Dyffryn Conwy, Gwasg Carreg Gwalch, 1982

Llyfr Idiomau Cymraeg, Gwasg John Penry, 1985

O Lan i Lan, Darlith gyntaf y gyfres Darlithoedd Dyffryn Conwy, cyhoeddwyd gan Wasanaeth Llyfrgell Cyngor Sir Gwynedd, 1986

Ail Lyfr o Idiomau Cymraeg, Gwasg John Penry, 1987

Awen R.E., casgliad o englynion a chywyddau, Gwasg Gwynedd, 1989